Eine neue Grammatik, ein neues Konzept
Was ist anders an der neuen Übungsgrammatik für Anfänger?

Sie ist progressiv.

Die Teile A, B und C bauen aufeinander auf, vom Einfachen zum Schwierigeren. Teil A schafft die Basis mit Verb und Substantiv und benutzt im Wesentlichen den Wortschatz des Anfängerunterrichts. Die Kapitel zu den Artikelwörtern, den Personalpronomen und den Possessivartikeln schließen sich an.

Teil B fügt das Adjektiv hinzu und ergänzt die Präpositionen, die Pronomen und die Adverbien. Den Partikeln ist ein eigenes Kapitel gewidmet; vor allem die häufig gebrauchten Partikeln sind leicht erlernbar und tragen wesentlich zum flüssigen Ausdruck bei.

Teil C vervollständigt den Verbalkomplex mit den Kapiteln Infinitivkonstruktionen, Passiv und Konjunktiv.

Bei der Wahl der Beispielsätze und der Konzeption der Übungen wurde weit gehend darauf geachtet, dass die Formen entsprechend der Progression benutzt werden. So taucht das attributive Adjektiv erst nach dem Kapitel Adjektiv auf.

Die Übungsgrammatik integriert die Syntax.

Teil A beschränkt sich auf den Hauptsatz, Teil B bezieht die Nebensätze mit ein. Teil C ergänzt Infinitivsätze und die indirekte Rede.

Syntax-Bausteine sind überall dort eingefügt, wo sie sich von der Morphologie her anbieten. Die Frage mit Fragepronomen oder als Entscheidungsfrage rangiert ganz vorn am Ende des ersten Kapitels. Die Position des konjugierten Verbs gehört ebenfalls zu den ersten Syntax-Bausteinen. Fast von selbst ergibt sich zum Beispiel die Darstellung der Satzklammer in Verbindung mit den trennbaren Verben, gleich im Anschluss an die Modalverben.

Die Darstellung und Übung der Syntax geschieht also nicht isoliert, sondern wird mit morphologischen Kapiteln verknüpft. So ist zum Beispiel der Relativsatz leichter erlernbar, wenn die Formengleichheit mit dem Demonstrativpronomen transparent gemacht wird. Dass sich die Nebensätze mit den Subjunktionen verknüpfen lassen oder die indirekte Rede mit dem Konjunktiv I, ist selbstverständlich.

Die Übungsgrammatik berücksichtigt die Wortbildung.

Ebenso wie die Syntax lassen sich Wortbildungsprinzipien mit bestimmten Kapiteln der Grammatik verbinden. So gehören Komposita zum Substantivkapitel, ebenso Substantivierungen, auf die auch bei der Substantivierung von Verben im Verbkapitel hingewiesen wird.

Wortbildungsmöglichkeiten werden an der Wortfamilie „fahren" demonstriert. Verschiedene Vorsilben bereichern den verbalen Wortschatz. Im Adjektiv-kapitel zeigen Prä- und Suffixe die Wortbildungspalette. Gleichzeitig mit dem Erwerb grammatischer Kenntnisse kann der Lerner somit seinen Wortschatz besser durchschauen und erweitern. Der Wortschatz entspricht dem Zertifikat Deutsch als Fremdsprache.

Die Übungsgrammatik bezieht den Lerner mit ein.
Zahlreiche Lerntipps geben dem Lerner wichtige Hinweise an neuralgischen Punkten des Lernprozesses. Diese Tipps betreffen das Lernen im Allgemeinen und zielen auch auf besondere Lernschwierigkeiten des Deutschen hin. Die Tipps und Tricks haben spezielle Stolpersteine und sprachliche Besonderheiten des Deutschen im Visier.

Die Übungsgrammatik hat eine besondere Übungstypologie.
Die Übungen schließen an die grammatischen Kapitel, die Syntax-Bausteine und die Wortbildungstabellen direkt an. Der Lerner übt auf Wort-, Satz- und dann auf Textebene. Übungen unter der Überschrift „Grammatik im Text" zielen darauf ab, den Aufbau von Texten durchsichtig zu machen und das selbstständige Verfassen von Texten vorzubereiten. Damit leistet die Übungs-grammatik wichtige Vorbereitungen auf die Textarbeit in der Mittelstufe.

Anspruchsvollere Übungen, insbesondere Textübungen, sind durch helleren Druck besonders gekennzeichnet und können im zweiten Durchgang bear-beitet werden. Die Übungen wurden, wo immer möglich, im Sinnzusammen-hang konzipiert.

Die Übungsgrammatik für Anfänger kann parallel zu jedem Grundstufen-lehrwerk benutzt werden. Alle grammatischen Erklärungen sind sprachlich so einfach gehalten wie nur irgend möglich. Ein umfangreiches Register vereinfacht das Nachschlagen, die durchgehende Nummerierung ermöglicht schnellste Orientierung.

Terminologisch entspricht diese Übungsgrammatik dem Zertifikat Deutsch als Fremdsprache. Insbesondere durch die Einbeziehung diskursrelevanter Strukturen kommt sie den neuesten Anforderungen entgegen.

Renate Luscher

Übungsgrammatik für Anfänger

Deutsch als Fremdsprache

VERLAG FÜR DEUTSCH

Ich möchte allen danken, die sich für Diskussionen und Problemlösungs-
gespräche Zeit genommen und somit das Entstehen dieser Übungsgrammatik
begleitet haben, insbesondere Frau Dr. Renate Freudenberg-Findeisen, die
wertvolle Impulse gegeben hat, und Herrn Thomas Stark, der als Lektor das
Projekt betreut hat.

Zu dieser Übungsgrammatik gehören
– ein **Lösungsschlüssel** (ISBN 3-88532-511-X) und
– **2 Audiokassetten** (ISBN 3-88532-512-8).

5.	4.	3.	2.	1.	Die letzten Ziffern
2001	2000	1999	98		bezeichnen Zahl und Jahr des Druckes.

Alle Drucke dieser Auflage können, da unverändert,
nebeneinander benutzt werden.

1. Auflage R
© 1998 VERLAG FÜR DEUTSCH
Max-Hueber-Str. 8, D-85737 Ismaning
Layout: Christiane Gerstung, München
Umschlag: Christiane Gerstung unter Verwendung einer
Grafik von Ralf Meyer-Ohlenhoff, München
Illustrationen: Marlene Pohle, Stuttgart;
Reinhard Blumenschein, München; Christiane Gerstung, München
Fotografien: Bert Woodwart, München; Thomas Stark, München;
Christiane Gerstung, München
Druck und Bindung: Clausen & Bosse, Leck
Printed in Germany
ISBN 3-88532-510-1

Teil C

Anhang

Abkürzungen

A	Akkusativ	N	Nominativ
Akk.	Akkusativ	n	neutral
D	Dativ	Nr.	Nummer (am Buchrand)
Dat.	Dativ	P.	Person
etw.	etwas	Pl.	Plural
f	feminin	Refl. P.	Reflexivpronomen
G	Genitiv	S.	Seite
jmd.	jemand	Sg.	Singular
jmdm.	jemandem	ugs.	umgangssprachlich
jmdn.	jemanden	z. B.	zum Beispiel
m	maskulin		

I. Das Verb (1)

Das Verb hat drei Personen im Singular und im Plural:

1

Singular		Plural	
1. Person	ich wohne	1. Person	wir wohnen
2. Person	du wohnst	2. Person	ihr wohnt
	Sie wohnen *(formell)*		Sie wohnen *(formell)*
3. Person	er / sie / es wohnt	3. Person	sie wohnen

Die 2. Person ist die Anredeform:
du und *ihr* = familiär, *Sie* = formell (= 3. Person Plural *sie wohnen*).

Die Formen haben einen Verbstamm und eine Verbendung:
wohn- = Verbstamm, *-e* = Verbendung (= *ich wohne*)

Das Verb kommt in verschiedenen Tempora vor:

2

Vergangenheit	*Gegenwart*	*Zukunft*
Perfekt	**Präsens**	**Präsens + Zeitangabe**
Ich habe in Kiel gewohnt.	Jetzt lebe ich in Stuttgart.	Morgen fahre ich nach Berlin.
Präteritum / Plusquamperfekt Sie wohnte viele Jahre in Wien. Davor hatte sie in Graz gelebt.		**Futur** Ich werde nach Hamburg ziehen.

(Passiv, Nr. 164–167, Konjunktiv, Nr. 168–172, Imperativ, Nr. 53, 54)

3 Das Verb ist das Zentrum im Satz. Es bestimmt die Ergänzungen.
Hinzu kommen die Angaben:

	Iss!			
Ich	**esse.**			
Ich	**esse**	*Salat.*		*Akkusativergänzung*
Ich	**esse**	*heute*	Salat.	*Temporalangabe*
Ich	**esse**	*gern*	Salat.	*Modalangabe*

4 Gegenwart: Präsens

Regelmäßige Formen

	wohnen	arbeiten	heißen
ich	wohne	arbeite	heiße
du	wohnst	arbeitest	heißt
er/sie/es	wohnt	arbeitet	heißt
wir	wohnen	arbeiten	heißen
ihr	wohnt	arbeitet	heißt
sie	wohnen	arbeiten	heißen

5

arbeiten	– ich arbeite, du arbeitest, …
reden	– ich rede, du redest, …
atmen	– ich atme, du atmest
rechnen	– ich rechne, du rechnest

(1) Verben auf *t/d, m/n*:
-e- + Endung.
Das -e- erleichtert die Aussprache.

6

heißen	– du heißt, er/sie heißt
reisen	– du reist, er/sie reist
lassen	– du lässt, er/sie lässt
duzen	– du duzt, er/sie duzt
sitzen	– du sitzt, er/sie sitzt

(2) Verben auf *ß, s, ss, z, tz*:
2. Person Singular
= 3. Person Singular.

7

basteln	– ich bast**le**, du bast**elst**
angeln	– ich ang**le**, du ang**elst**

(3) Verben auf *-eln*:
Kein -e- in der 1. Person.

1. *Unterstreichen Sie die Infinitive.*

gehe   reisen   arbeitest   sammeln
     wechseln   antwortet   heißen   rechne
ändern   dauert   lächle   lernen
     zeichnet   öffne   beweise   bittest

Regel: Der Infinitiv hat die Endung ___ oder ___.

2. *Wie heißen die Verben? Ergänzen Sie.*

heiß___ _____
Ich   wohn___ _____
komm___ _____

Wohn___
Arbeit___   Sie _____?
Komm___

Wie heiß___ _____?
                    Wo wohn___ _____?
Woher komm___ _____?

3. *Markieren Sie* t / d, m / n, ß, ss, z, tz, eln *in den Abschnitten Nr. 5 – 7.*
Ergänzen Sie Verben aus Übung 1.

4. *Wie heißt das Verb? Benutzen Sie ein Wörterbuch.*

a)   die Wohnung   *wohnen – er / sie wohnt*
b)   die Arbeit   _____
c)   die Reise   _____
d)   das Studium   _____
e)   die Frage   _____
f)   die Antwort   _____
g)   die Rechnung   _____

	geben	fahren	laufen	sein	haben	werden
ich	gebe	fahre	laufe	**bin**	habe	werde
du	gibst	fährst	läufst	**bist**	hast	**wirst**
er / sie / es	gibt	fährt	läuft	**ist**	hat	**wird**
wir	geben	fahren	laufen	**sind**	haben	werden
ihr	gebt	fahrt	lauft	**seid**	habt	werdet
sie	geben	fahren	laufen	**sind**	haben	werden

Einige unregelmäßige Verben haben Vokalwechsel in der 2. und 3. Person Singular Präsens. Dabei werden *e → i(e), a → ä, au → äu*.

Auch:

e → i(e)	a → ä	au → äu
essen (isst)	fallen (fällt)	(selten)
fressen (frisst)	fangen (fängt)	
geben (gibt)	halten (hält)	
helfen (hilft)	lassen (lässt)	
lesen (liest)	schlafen (schläft)	
nehmen (nimmt)	tragen (trägt)	
sehen (sieht)	wachsen (wächst)	
sprechen (spricht)	waschen (wäscht)	
stehlen (stiehlt)		
sterben (stirbt)		
treffen (trifft)		
vergessen (vergisst)		

Lerntipp

Notieren Sie in Ihrem Vokabelheft oder in Ihrer Vokabelkartei immer den Infinitiv und die 3. Person Präsens Singular. Dann erkennen Sie die Verben mit Vokalwechsel sofort.

Infinitiv	Präsens
geben	er / sie / es gibt

5. *Ergänzen Sie das Verb.*

a) Fritz _____ Elektrotechniker.
b) Er _____ jetzt fertig.
c) Er _____ eine gute Ausbildung.
d) Er _____ zufrieden.
e) Er _____ eine Stelle.

6. *Wer ist Rainer Faaß?*

Sanders & Co.

Stauffenbergstr. 15
82319 Starnberg
Tel. 0 81 51 / 19 22 - 15
Fax 0 81 51 / 19 22 - 21
E-Mail faass@sanders.de

Rainer Faaß
Diplom-Ingenieur
Abteilungsleiter Export

Rainer Faaß
_____ bei der Firma _____.
Er _____ von Beruf _____.
Er _____ die Telefon-Nr. _____.
Er _____ auch eine E-Mail-Adresse.
Die Firma _____ in Starnberg.

7. *Ergänzen Sie den Vokal.*

a) G_bt es hier eine Kantine?
b) Der Bus f_hrt in die Innenstadt.
c) Im Restaurant „Mühle" _sst man gut.
d) Wir gehen _ssen.
e) N_mmst du das Auto?
f) Wir l__fen.

8. *sein hat unregelmäßige Formen im Präsens. Und haben und werden?*
Konjugieren Sie die Verben. Vergleichen Sie mit Nr. 8.

Regel:
Die ___. und die ___. Person Präsens von *haben* sind unregelmäßig.
Die Formen haben kein ___.
Die ___. und die ___. Person Präsens von *werden* sind unregelmäßig.
Die Formen haben ein ___.

9. *Wie heißen die Verben?*

a) Ich _____ (arbeiten) in Dresden.
b) Wo _____ (arbeiten) Sie?
c) Mein Name _____ (sein) Wilhelmsen.
d) Wie _____ (heißen) Sie?
e) Ich _____ (heißen) Naumann.
f) Wo _____ (arbeiten) Sie?
g) Ich _____ (sein) im Export.
h) _____ (haben) Sie eine Wohnung?
i) Nein, ich _____ (suchen) eine Wohnung in Dresden.
j) Meine Familie _____ (wohnen) in Bremen.
k) Ich _____ (fahren) am Wochenende nach Hause.
l) Meine Frau und die Kinder _____ (kommen) auch nach Dresden.

Syntax-Baustein 1

1. Die Frage

Die Frage und den Hauptsatz lernen Sie schon in der ersten Deutschstunde.

	Position I	Position II *Verb*			
W-Frage	Wo	wohnen	Sie?	In Kiel.	
	Ich	wohne		in Kiel.	
Satzfrage		Wohnen	Sie	in Kiel?	Ja.
	Ja, ich	wohne		in Kiel.	

W-Fragen:
Das Fragewort steht in Position I (→ auch Fragewörter, Nr. 10, 118, 119).
Das konjugierte Verb steht in Position II.

Satz-Fragen:
Position I ist leer. Die Antwort lautet: *Ja, ...* oder *Nein, ...*

2. Fragewörter

Wie	heißen Sie?	Eigenschaft
Wie	alt sind Sie?	
Woher	sind / kommen Sie?	Ort
Wohin	wollen Sie?	
Wann	fahren Sie?	Zeit
Wie lange	bleiben Sie?	Zeitdauer
Warum	fragen Sie?	Grund
Wer	ist das?	Person
Was	sind Sie von Beruf?	Sache / Sachverhalt
Wie viel	Geld haben Sie?	Zahl / Menge
Wie viele	Personen sind Sie?	

10. *Grammatik im Text – Lesen Sie zuerst den Text.*

In der Kantine

- ▦ Guten Tag. Mein Name ist Schmeller.
- ▲ Guten Tag, Herr Schmeller, ich heiße Bender. Ich arbeite seit gestern in der Buchhaltung. Und Sie?
- ▦ Im Export.
- ▲ Aha. Interessant.
- ▦ Sind Sie aus Frankfurt?
- ▲ Nein, leider. Ich wohne in Hannover. Jetzt suche ich hier eine Wohnung. Helfen Sie mir?
- ▦ Das ist schwierig. Wie viele Zimmer brauchen Sie?
- ▲ Vier. Ich habe zwei Kinder. Meine Familie ist noch in Hannover. Die Kinder gehen zur Schule.
- ▦ Und wo wohnen Sie jetzt?
- ▲ Ich habe ein Zimmer.
- ▦ Ich bringe Ihnen die Lokalzeitung. Vielleicht finden Sie etwas.
- ▲ Danke, Herr Schmeller, das ist sehr nett.
- ▦ Na dann viel Glück! Und toi, toi, toi!

Unterstreichen Sie die Verben. Notieren Sie den Infinitiv und die 3. Person Singular.
Beispiel: ich heiße → heißen – er / sie heißt

Markieren Sie die Fragen.

11 Vergangenheit: Perfekt

(→ Perfekt oder Präteritum?, Nr. 19, 20)

Die Formen

		regelmäßig wohnen		unregelmäßig fahren
ich	habe	gewohnt	bin	gefahren
du	hast	gewohnt	bist	gefahren
er / sie / es	hat	gewohnt	ist	gefahren
wir	haben	gewohnt	sind	gefahren
ihr	habt	gewohnt	seid	gefahren
sie	haben	gewohnt	sind	gefahren

Bildung des Perfekts: Präsens *sein/haben* + Partizip II

12

Er ist Techniker.	Beruf	(1) *sein* ist Vollverb
Er ist aus Berlin.	Herkunft	
Er ist im Ausland.	Ort	

Das ist die Firma Intercom.	+ Substantiv
Er ist berufstätig.	+ Adjektiv
Er ist angestellt.	+ Partizip II

| Sie **ist** in die Stadt **gefahren**. | oder Hilfsverb (im Perfekt) |

13

| Er hat Arbeit. | (2) *haben* ist Vollverb |
| Er hat zwei Kinder. | |

| Sie **hat** in Augsburg **gewohnt**. | oder Hilfsverb (im Perfekt) |

Das Partizip II

wohnen	ge-wohn-t	ge-...-(e)t	(1) Das regelmäßige
arbeiten	ge-arbeit-et		Partizip II
telefonieren	telefoniert	...-t	Verben auf -ieren: kein ge-
bezahlen	bezahlt	**Vorsilbe ...-t**	Untrennbare Verben: kein ge-
einkaufen	ein-ge-kauf-t	**(Vorsilbe)-ge- ...-t**	Trennbare Verben: -ge- in der Mitte
denken	ge-dach-t	**ge-...(Vokaländerung)...-t**	Mischverben
fahren	ge-fahr-**en**	**ge-...-en**	(2) Das unregelmäßige Partizip II
bekommen	bekomm-**en**	**(Vorsilbe)-...-en**	Untrennbare Verben: kein ge-
anrufen	an-ge-ruf-**en**	**(Vorsilbe)-ge-...-en**	Trennbare Verben: -ge- in der Mitte.

haben oder *sein*?

Die meisten Verben bilden das Perfekt mit *haben*:

erzählen	Sie **hat** eine Geschichte erzählt.	(1) Alle Verben mit Akkusativ (sehr häufig)
sich wünschen	Er **hat** sich ein Fahrrad gewünscht.	(2) Alle reflexiven Verben

Einige Verben bilden das Perfekt mit *sein*. Sie haben keinen Akkusativ:

fahren	München → Hamburg Sie **ist** nach Hamburg gefahren.	(1) Bewegung und
werden	gesund → krank Er **ist** krank geworden.	Veränderung
fallen	– er ist gefallen	(2) wichtige Verben mit
fliegen	– er ist geflogen	*sein*

gehen	– er ist gegangen
geschehen	– es ist geschehen
kommen	– er ist gekommen
laufen	– er ist gelaufen
passieren	– etwas ist passiert
reisen	– er ist gereist
rennen	– er ist gerannt
schwimmen	– er ist geschwommen
sein	– er ist gewesen
springen	– er ist gesprungen
verschwinden	– er ist verschwunden
wachsen	– er ist gewachsen
werden	– er ist geworden

Ausnahme:

bleiben	– er ist geblieben

Lerntipp

Notieren Sie das Partizip II immer mit der 3. Person Singular von *haben* oder *sein*. Dann machen Sie weniger Fehler:

lesen	– er / sie hat gelesen
gehen	– er / sie ist gegangen

---

11. Ergänzen Sie bin *oder* habe.

  a) Ich _____ viel Motorrad gefahren.
  b) Ich _____ einen Unfall gehabt.
  c) Ich _____ in eine Wiese gefallen.
  d) Ich _____ später nichts mehr gewusst.
  e) Ich _____ lange im Krankenhaus gewesen.
  f) Ich _____ Glück im Unglück gehabt.

12. Ergänzen Sie.

  a) _____ ihr etwas gegessen?
  b) Warum _____ du nicht gewartet?

c) _____ Sie geflogen oder mit dem Zug gefahren?
d) Wir _____ uns um zehn getroffen.
e) Was _____ passiert?

13. Lebenslauf – Erzählen Sie.

a) Ich bin zuerst in die Gesamtschule _____. (gehen)
b) Dann bin ich in die Realschule _____. (wechseln)
c) Ich habe eine Lehre _____. (machen)
d) Ich habe dann ein Tischlermeister-Stipendium _____.
    (bekommen)
e) Die Prüfung habe ich mit Gut _____. (abschließen)
f) Ich habe zuerst bei meinem Vater _____. (arbeiten)
g) Aber dann bin ich selbstständig _____ (werden) und habe eine
    Firma _____. (gründen)
h) Wir haben viele Aufträge _____. (haben)
i) Dann bin ich aber krank _____ (werden) und habe
    schließlich _____. (zumachen)
j) Jetzt habe ich Arbeit bei einer Baufirma _____. (finden)

Vergangenheit: Präteritum   17
(→ Perfekt oder Präteritum?, Nr. 19, 20)

Die Formen

	Präsens	Präteritum regelmäßig		unregelmäßig
		wohnen	arbeiten	fahren
ich	wohne	wohnte	arbeitete	fuhr
du	wohnst	wohntest	arbeitetest	fuhrst
er / sie / es	wohnt	wohnte	arbeitete	fuhr
wir	wohnen	wohnten	arbeiteten	fuhren
ihr	wohnt	wohntet	arbeitetet	fuhrt
sie	wohnen	wohnten	arbeiteten	fuhren

Die regelmäßigen Verben erkennen Sie sofort:
Sie haben -(e)te- + Endung.

Die unregelmäßige Verben wechseln den Vokal:
fahren – fuhr.

Manche Verben ändern auch den Konsonanten oder die Konsonanten:
gehen – ging.

Die 1. und die 3. Person Singular sind identisch:
ich/er/sie wohnte, ich/er/sie war, ich/er/sie hatte.

18

	sein	haben	(→ Gebrauch, Nr. 12, 13)
ich	war	hatte	
du	warst	hattest	
er/sie/es	war	hatte	
wir	waren	hatten	
ihr	wart	hattet	
sie	waren	hatten	

Tipps & Tricks

Die meisten Verben sind regelmäßig. Sie sind einfach.
Die unregelmäßigen Verben stehen auf den Seiten 246–252.
Notieren Sie sie in Ihr Vokabelheft oder in Ihre Vokabeldatei so:

Infinitiv	Präsens	Präteritum	Perfekt
fahren	er/sie fährt	fuhr	ist gefahren

Im Wörterbuch finden Sie die Präteritumform *fuhr*:

fuhr Präteritum, 1. und 3. Person Sg.;
↑ fahren *oder:* fahren; <u>fährt</u>, <u>fuhr</u>,
<u>ist gefahren</u>

Präsens   Präteritum   Perfekt

14. Ergänzen Sie *war* **und** *hatte, ist* **und** *hat.*

a) Er _____ faul in der Schule.

b) Aber er _____ ein Motorrad und viele Freunde.

c) Er _____ keine Arbeit.

d) Dann _____ er eine Idee.

e) Jetzt _____ er eine Firma und viele Mitarbeiter.

f) Er _____ bekannt in der Computerbranche.

15. Wie heißen die Personen? Ergänzen Sie das Präteritum.

a) Er _____ Physiker. (sein)

b) Er _____ von 1879 bis 1955. (leben)

c) Er _____ in München das Gymnasium. (besuchen)

d) Er _____ es ohne Prüfung. (verlassen)

e) Mathematik _____ ihn sehr. (interessieren)

f) Er _____ in Zürich. (studieren)

g) Mit 24 Jahren _____ er Professor. (werden)

h) Mit 42 Jahren _____ er den Nobelpreis für Physik. (bekommen)

Kennen Sie den Mann?

a) Sie _____ Pianistin und Komponistin. (sein)

b) Sie _____ in Leipzig geboren. (werden)

c) Sie _____ Reisen durch ganz Europa und _____ Konzerte.
(machen, geben)

d) Sie _____ den Komponisten Robert Schumann. (heiraten)

e) Sie _____ nach Berlin und _____ später in Baden-Baden
und Frankfurt am Main. (ziehen, leben)

f) Sie _____ am Konservatorium. (lehren)

g) Sie _____ die Werke ihres Mannes. (interpretieren)

h) Zusammen mit Johannes Brahms _____ sie die Werke Schumanns.
(veröffentlichen)

Kennen Sie die Frau?

Erzählen Sie jetzt im Perfekt von C. Sch.:

a) Ich _____ ein Buch über C. Sch. _____ (lesen).

b) Das _____ mich sehr _____ (faszinieren).

c) Sie _____ Konzerte in ganz Europa _____ (geben).

d) Sie _____ eine Familie mit acht Kindern _____ (haben).
e) Sie _____ Schumann, Beethoven und Brahms _____ (spielen).
f) Sie _____ die Werke von Schumann _____ (veröffentlichen).

16. Ordnen Sie die Präteritumform in die Tabelle ein.

u	a	o	ie (= lang)	i (= kurz)
fuhr	aß	flog	hieß	stritt

fahren   essen   fliegen   heißen   streiten   laufen   finden
wachsen   gewinnen   trinken   frieren   ziehen   fangen
bleiben   schreiben   kommen   nehmen   schließen   verlieren
überweisen   schlafen

Merke: Es gibt viele Präteritumformen mit *a*, aber nur wenige mit *u*.

17. Unterstreichen Sie die Präteritum-Endungen und schreiben Sie den Infinitiv dazu.

	besuchte	arbeitete	lernte
	_____	_____	_____
ich / er / sie	blieb	war	ließ
	_____	_____	_____
	wartete	studierte	kam
	_____	_____	_____

Sehen Sie sich die Tabelle im Abschnitt Nr. 17 an und formulieren Sie die Regel.

Die Verben sind in der ___. und der ___. Person Singular gleich.
Sie haben in der ___. und ___. Person Singular keine Endung.
Die regelmäßigen Verben haben ___ + Endung.
Die unregelmäßigen Verben verändern meistens den _____.

18. Kennen Sie diese Präteritumformen?
Notieren Sie bitte den Infinitiv und das Partizip Perfekt.

		Infinitiv	Partizip Perfekt
a)	fuhr	_____	_____
b)	kam	_____	_____
c)	sah	_____	_____
d)	flog	_____	_____
e)	fand	_____	_____
f)	half	_____	_____
g)	las	_____	_____
h)	wusste	_____	_____
i)	rief	_____	_____
j)	mochte	_____	_____
k)	gab	_____	_____
l)	ging	_____	_____
m)	aß	_____	_____
n)	trank	_____	_____
o)	blieb	_____	_____
p)	war	_____	_____
q)	schlief	_____	_____
r)	sandte	_____	_____
s)	wurde	_____	_____
t)	ließ	_____	_____
u)	verlor	_____	_____
v)	saß	_____	_____

19. Wie heißt das Verb auf -ieren? Notieren Sie auch die 3. Person Singular Präsens, Präteritum und Perfekt. Benutzen Sie bitte das Wörterbuch.

a)   der Transport   *transportieren*
                          er / sie transportiert   transportierte   hat transportiert

b)   das Training   _____

c)   der Buchstabe   _____

d)   das Studium   _____

e)   die Demonstration   _____

f)   die Produktion   _____

Regel: Verben auf *-ieren* sind   ▨   regelmäßig.

                                      ▨   unregelmäßig.

          Sie haben kein *ge-* im Partizip II.

Perfekt oder Präteritum?

Perfekt	Präteritum / Plusquamperfekt
Nähe – Emotion direkte Rede – mündlich oder schriftlich (1. und 2. Person)	**Distanz – Reflexion** meist schriftlich (3. Person)

Im schriftlichen Bericht gebraucht man das Präteritum:

Unfallbericht der Polizei
Ein PKW-Fahrer wollte von der Parkstraße links in die Bahnhofstraße
einbiegen. Die Ampel schaltete auf Grün und der Fahrer fuhr los.
Gleichzeitig überquerte eine Frau die Straße auf dem Fußgängerweg.
Sie hatte ebenfalls Grün. Der PKW-Fahrer sah die Frau nicht und
verursachte den Unfall.

Mündlich gebraucht man das Perfekt:

Ich bin Zeuge und erzähle:
Ich habe den Unfall gesehen. Ich habe hinter dem Auto gestanden.
Es ist plötzlich losgefahren ...

Gestern **war** ich in der Stadt. Ich **hatte** Zeit. Ich **wollte** ein paar Einkäufe machen.	(1) Bei Hilfsverben und Modalverben verwenden Sie mündlich und schriftlich das Präteritum.
Der PKW-Fahrer **bog ab** und **verursachte** den Unfall. (= Präteritum) Er **hatte** die Frau nicht **gesehen**. (= Plusquamperfekt)	(2) Das Plusquamperfekt ist die Zeit vor dem Präteritum. Bildung des Plusquamperfekts: Präteritum *sein/haben* + Partizip II

> **Lerntipp**
> Benutzen Sie das Perfekt, wenn Sie etwas erzählen.
> Häufiger Fehler: zu wenig Perfekt in der gesprochenen Sprache.
>
> Beispiel: *Ich habe mich sehr beeilt. Zuerst bin ich Autobahn gefahren. Ich habe nach zwei Stunden Pause gemacht ...* (Nicht: *Ich beeilte mich sehr. Zuerst fuhr ich ...*) Immer häufiger finden wir das Perfekt auch in der Schriftsprache.

Erzählen Sie Lebensläufe im Perfekt:

Goethe ist in Frankfurt geboren. Er hat in Leipzig studiert. ...

Auch Ihren Lebenslauf:

Ich bin 19__ in Augsburg geboren. Ich bin auch dort zur Schule gegangen.

Schriftliche Lebensläufe stehen im Präteritum:

Goethe wurde 1749 in Frankfurt geboren. Er studierte in Leipzig. ...

Das gilt auch für Ihre Bewerbung:

Ich wurde 19__ in Augsburg geboren. Dort ging ich ...

Syntax-Baustein 2
23

Im Deutschen stehen Angaben oder Ergänzungen oft am Satzanfang, zum Beispiel nach einer Frage.
Sie sind am Satzanfang betont.
Das konjugierte Verb steht immer in Position II.

Position I	Position II			
Peter	**kommt**		morgen.	
Wann	**kommt**	Peter?		
Morgen	**kommt**	Peter.		
Er	**hat**		aus Hannover	angerufen.
Von wo	**hat**	er		angerufen?
Aus Hannover	**hat**	er		angerufen (, nicht aus Hamburg).
Er	**wollte**	Thomas		sprechen.
Wen	**wollte**	er		sprechen?
Thomas	**wollte**	er		sprechen (, nicht Christian).

20. *Ergänzen Sie* er ist / ist er *oder* er hat / hat er.

a) Tom _____ 1970 geboren.
b) 1976 _____ _____ in die Schule gekommen.
c) 1988 _____ _____ seinen Führerschein gemacht.
d) 1989 _____ _____ mit dem Studium angefangen.
e) 5 Jahre später _____ _____ endlich Geld verdient.
f) _____ _____ eine Wohnung gemietet.
g) Geheiratet _____ _____ aber noch nicht.

21. *Grammatik im Text – Lesen Sie und lösen Sie die Aufgaben.*

a) *Ich möchte gern als Redakteur arbeiten*

▓ Wo sind Sie zur Schule gegangen?

▲ Ich bin 1970 in Nürnberg geboren und dort auch zur Schule gegangen. Ich habe das Gymnasium besucht und habe 1989 Abitur
gemacht.
Zuerst wollte ich Medizin studieren. Aber das war nicht so einfach.
Ich habe keinen Studienplatz bekommen. Ich musste warten.

▓ Und was haben Sie dann studiert?

▲ Ich habe gewechselt und Sprachen studiert. Englisch und Deutsch.

▓ Und wo haben Sie studiert?

▲ Die ersten Semester war ich in Nürnberg. Das Examen habe ich
an der Freien Universität in Berlin gemacht. Ich hatte noch Deutsch
als Fremdsprache im Nebenfach.

▓ Haben Sie auch unterrichtet?

▲ Ich habe in Sprachenschulen Deutsch-Unterricht gegeben. Nach
dem Studium habe ich als Journalist gearbeitet. Und jetzt möchte ich
gern als Redakteur für Ihre Umwelt-Zeitschrift arbeiten ... Ich habe
einige Artikel mitgebracht ...

Markieren Sie alle Perfektformen. Schreiben Sie die Formen in die Tabelle.

Perfektform	Infinitiv	regelmäßig	unregelmäßig
er / sie hat studiert	studieren	x	▓

Markieren Sie jetzt alle Präteritumformen. Notieren Sie die Infinitive.

Markieren Sie das konjugierte Verb + das Subjekt.
Beispiel: Sind Sie zur Schule gegangen? – Sind Sie

b) *Management-Karriere*

Der heute 35jährige Manager Stefan F. hat einen interessanten Berufsweg: Er ist jetzt Werbeleiter in der Textilbranche – aber davor hat er in einem Ferienclub gearbeitet, zuletzt als Clubchef. Er war flexibel, teamfähig und musste improvisieren: Das war seine tägliche Arbeit. Außerdem lernte er drei Fremdsprachen – ganz nebenbei. Multikulturelle Erfahrungen konnte er täglich sammeln. Seine Gäste hatten verschiedene Nationalitäten und kamen aus vielen Ländern.

Das qualifizierte ihn für seine Karriere. Fachwissen ist heute Voraussetzung, entscheidend ist aber die persönliche Qualifikation.

Markieren Sie die Präteritumformen.
Schreiben Sie die Formen in die Tabelle.

Präteritum	Infinitiv	regelmäßig	unregelmäßig

c) *Armin, 25, berichtet*

Die Saison beginnt im Frühjahr. Da passieren die Unfälle. Nach der Pause im Winter haben die Motorradfahrer nämlich keine Übung mehr. Der April vor vier Jahren hat mein Leben total verändert: Ich wollte eigentlich Maschinenschlosser werden. Aber dann kam alles anders. Mein Leben lief nicht mehr normal.

Und so ist es passiert: Ich hatte eine schwere Maschine und wir sind zum Gardasee gefahren. Plötzlich passierte es. Ein Autofahrer sieht nicht, dass ich überhole und fährt links raus. Ich bremse, schleudere und stürze … Dann weiß ich nichts mehr. Mein Motorrad ist auf der Straße liegen geblieben und ich bin über eine Mauer geflogen. Später konnte ich mich an nichts mehr erinnern. Ich wusste nicht einmal, wie ich heiße, wer meine Eltern sind und wie ich ins Krankenhaus gekommen bin. In den folgenden Jahren habe ich viele Monate im Krankenhaus verbracht. In meinen Träumen falle ich immer noch, das hört nicht auf …

Heute besuche ich eine Grafiker-Schule. Ich bin der Älteste in der Klasse. Motorrad fahre ich inzwischen wieder, sehr vorsichtig, besonders im Frühjahr.

Markieren Sie alle Präteritumformen und Perfektformen und notieren Sie die Infinitive.

Was steht in Position I, II und III? Notieren Sie.

Position I	Position II Verb	Position III
Die Saison	beginnt	im Frühjahr.
Da	passieren	die Unfälle.
Nach der Pause im Winter	haben	die Motorradfahrer …
Der April vor vier Jahren	hat	mein Leben …
Aber dann	kam	alles …
…		

Kennzeichnen Sie das Subjekt.

Zukunft: Präsens und Futur I

24 Die Zukunft drückt man meist mit dem **Präsens + Zeitangabe** aus:
In zwei Jahren mache ich Abitur.
Heute / Morgen / Nächste Woche gehe ich zum Arzt.

25 Die Zukunft kann man aber auch mit dem **Futur I** ausdrücken:

	werden	+ *Infinitiv*
ich	werde	gehen
du	wirst	gehen
er / sie / es	wird	gehen
wir	werden	gehen
ihr	werdet	gehen
sie	werden	gehen

Bildung des Futurs I: Hilfsverb *werden* + Infinitiv
(→ Syntax-Baustein 3c, Nr. 47)

Nächste Woche **werde** ich
zum Arzt **gehen**.
Ich **werde** dich **abholen**.
In diesem Jahr **wird** er
die Prüfung **machen**.

(1) Hilfsverb *werden*: Futur I

Er **wird** Arzt.
Im Herbst **werden**
die Blätter bunt.

Student → Arzt
grün → bunt

(2) Vollverb *werden* bedeutet
Veränderung.

(→ Vermutung und Absicht, Nr. 179 ff.)

(→ Vermutung und Absicht, Nr. 179 ff.)

22. Ergänzen Sie *werden*.

a) Was _____ im Jahr 2000 sein?
b) Rauchen _____ verboten sein.
c) Die Menschen _____ noch mehr arbeiten.
d) Die Arbeit _____ knapp sein.
e) Jeder _____ mit jedem kommunizieren.
f) _____ die Menschen glücklicher sein?
g) Das _____ wahrscheinlich nicht passieren.

23. Bilden Sie Sätze. Zwei Sätze brauchen kein *werden*.

a) Ende Juli, die Ferien, anfangen
b) ab Juli, die Autos, nach Süden, rollen
c) ein Verkehrschaos, es gibt
d) der Verkehr, jährlich, zunehmen
e) auch der Flugverkehr, zunehmen
f) wir, Lösungen, finden müssen
g) das, nicht einfach, sein

24. Bilden Sie Sätze – mit oder ohne *werden*.

a) Um Mitternacht / die Uhr zwölf Mal (schlagen)
b) Morgen / es / Regen (geben)
c) Das Wochenende / schön (werden)

Übungen

d) Die meisten / schon am Freitag ins Wochenende (fahren)

e) Jeden Freitagnachmittag / es / viele Verkehrsstaus (geben)

f) Nur bei Regen / die Menschen zu Hause (bleiben)

25. *werden ist auch eine Befehlsform.*
Sagen Sie den Kindern, was sie tun müssen.

a) Martin und Sigi, ihr _____ sofort euer Zimmer aufräumen.

b) Klarissa, du _____ sofort deine Aufgaben machen.

c) Martin, du _____ Papa helfen.

d) Carola _____ abtrocknen.

e) Isa _____ den Tisch decken.

f) Um sieben _____ wir essen.

26. *Grammatik im Text – Lesen Sie zuerst den Text.*

▓ Na, Andreas, was willst du denn werden?
Weißt du das schon?

▲ Natürlich, ich werde Pilot.

▓ Aha, und warum?

▲ Da werde ich viel unterwegs sein. Ich werde viele Länder …

▓ … und Flughäfen …

▲ … sehen. Und ich werde Technik lernen.

▓ Magst du Technik?

▲ Ja, logisch. In zwei Jahren mache ich das Abitur. Und dann werde ich auf die Fachschule gehen. Und dann auf die Flugschule.

▓ Als Pilot musst du aber fit sein.

▲ Sehen, Hören, Kondition – alles super.

▓ Na, dann kann nichts schief gehen!

Markieren Sie die *werden*-Formen. Wie viele Formen sind Vollverb, wie viele sind Hilfsverb?
___ Vollverben, ___ Hilfsverben

Modalverben

Präsens

	dürfen	können	müssen	sollen	wollen	
ich	darf	kann	muss	soll	will	möchte
du	darfst	kannst	musst	sollst	willst	möchtest
er / sie / es	darf	kann	muss	soll	will	möchte
wir	dürfen	können	müssen	sollen	wollen	möchten
ihr	dürft	könnt	müsst	sollt	wollt	möchtet
sie	dürfen	können	müssen	sollen	wollen	möchten

Die 1. und die 3. Person Singular haben keine Endung.

Auch:	wissen	mögen
ich	weiß	mag
du	weißt	magst
er / sie / es	weiß	mag
wir	wissen	mögen
ihr	wisst	mögt
sie	wissen	mögen

Vergleichen Sie die Bedeutung:

Er ist wieder gesund. Er **darf** arbeiten.
Er ist nicht krank. Er **kann** arbeiten.
Er hat vier Kinder. Er **muss** arbeiten.
Die Familie sagt, er **soll** arbeiten.
Der Student **will** in den Ferien arbeiten.
Er **möchte** arbeiten.

Er **will** in den Ferien **arbeiten**.

(1) Modalverb + Infinitiv: Meistens steht das Modalverb mit Infinitiv.
→ Syntax-Baustein 3c, Nr. 47

27

Was **möchten** Sie bitte?
Ich **möchte** Herrn Heinrich sprechen.
Ich **möchte** gern telefonieren.

(2) *möchte* ist eine Höflichkeitsform. *möchte* drückt einen Wunsch aus.

28

29   Sie **kann** Englisch (sprechen).
Sie **darf** nach Hause (gehen).

Sie **muss** nach Frankfurt (fahren).
Er **kann** heute nicht (kommen).
Er **will** nicht (kommen).
Ich **möchte** gern (kommen),
aber ich **kann** nicht (kommen).

(3) Oft steht kein Infinitiv:
Sie kann Englisch (sprechen).
= *Sie kann Englisch.*

30   Inge **mag** Thomas.
Kerstin **mag** Wien.

(4) *mögen* heißt „gern haben".
Man gebraucht *mögen* ohne
Infinitiv.

31

Tipps & Tricks

ss oder *ß*? Das ist ganz einfach.
1. *ss* steht nach einem kurzen Vokal: *du isst, er muss, ihr lasst.*
2. *ß* steht nach einem langen Vokal oder einem Diphthong: *Straße, ich weiß.*

Sprechen Sie das Wort laut und entscheiden Sie dann: kurzer Vokal → *ss*,
langer Vokal → *ß*.
(→ Übung 30 und 31)

---

27. Ergänzen Sie.

a)   können   _____ du kommen?
b)   wollen   Er _____ in Berlin arbeiten.
c)   müssen   Sie ist krank. Sie _____ zu Hause bleiben.
d)   dürfen   Sie _____ nicht arbeiten.
e)   sollen   Der Arzt sagt, sie _____ zu Hause bleiben.

28. Wie heißt das Modalverb?

a)   _____ Sie unsere Exportleiterin kennen lernen? – Ja, gern.
b)   _____ ich vorstellen? Das ist Herr Moser, unser Vertreter aus
      Italien, das ist Frau Wiedemann.
c)   Ich _____ Ihnen jetzt den Betrieb zeigen.

Übungen

d) Wir _____ zuerst in die Auftragsabteilung gehen.

e) _____ Sie auch das Lager sehen?

f) Sie _____ noch die Abteilung Fortbildung besuchen.

g) Sie _____ an einer Besprechung der Marketing-Abteilung teilnehmen.

h) Wir gehen um 12 Uhr in die Kantine. _____ Sie lieber Fisch oder Fleisch?

29. **Ordnen Sie die Infinitive in die Tabelle.**
    Haben Sie Probleme? Dann konjugieren Sie zuerst.

dürfen   müssen   sein   reden   kommen   arbeiten
sprechen   haben   sollen   geben   können   lernen
werden   wollen   fahren

Verben mit *regelmäßigen* Formen	Verben mit -e- + Endung	Verben mit *unregelmäßigen* Formen	Modalverben

30. **Markieren Sie die Vokale: kurz (ˇ) oder lang (–). Sprechen Sie laut.**
    Beispiel: sprĕchĕn, rēdĕn

    a) wohnen, kommen

    b) die Liste

    c) Eva und Peter essen.

    d) Das wissen Sie sicher.

31. *s, ss oder ß?*

    a) Der Infinitiv hei__t „mü__en".

    b) Wie schreiben Sie „er mu__"?

    c) „Wi__en" mü__en Sie mit __ schreiben.

    d) „Er wei__" schreiben Sie mit __.

    e) „Die Stra__e" hat ein __. Das a ist lang.

f) „e__en" hat __. Das e ist _____.
   „er i__t" schreiben Sie mit __. Das ist neu.

g) Buchstabieren Sie bitte „rei__en": r - e - i - __ - e - n.
   Es gibt Geschäftsrei__en und Urlaubsrei__en.

32 Präteritum

	dürfen	können	müssen	sollen	wollen
ich	durfte	konnte	musste	sollte	wollte
du	durftest	konntest	musstest	solltest	wolltest
er / sie / es	durfte	konnte	musste	sollte	wollte
wir	durften	konnten	mussten	sollten	wollten
ihr	durftet	konntet	musstet	solltet	wolltet
sie	durften	konnten	mussten	sollten	wollten

Auch: wissen: *er / sie wusste, hat gewusst*

Das Präteritum der Modalverben ist häufiger als das Perfekt.

33 Perfekt

ich	habe	dürfen	können	müssen	sollen	wollen
		gedurft	gekonnt	gemusst	gesollt	gewollt
du	hast					
er / sie / es	hat					
wir	haben					
ihr	habt					
sie	haben					

34 Ich **habe** nicht **kommen können.**

(1) Gebrauch als modales Hilfsverb: *haben* + 2 Infinitive

Bist du aufgestanden?
Ja, ich **habe** schon **aufstehen dürfen.**
→ Ja, ich **durfte** schon **aufstehen.**

Besser ist das Präteritum.

Ich **habe kommen wollen,** aber ich **habe** nicht **losfahren können.**
Der Motor war kaputt.

→ Ich **wollte kommen,** aber ich **konnte** nicht **losfahren.** Der Motor war kaputt.

Er war nicht da. Er **hat** nicht **gedurft.**
Die Schule war schwer: Beate **hat gewollt,** aber nicht **gekonnt.**

(2) Gebrauch als Vollverb:
   haben + Partizip II

35

Was bedeuten die Modalverben?

können und *dürfen* – Möglichkeit, Fähigkeit und Erlaubnis

36

Sie kann Deutsch (sprechen).
Sie kann Geige (spielen).
(Fähigkeiten)
Können Sie mir helfen?
(höfliche Frage)

Dürfen wir rauchen?
Hier darf nicht geraucht werden.
(Erlaubnis und Verbot)

können   dürfen

Kann / Darf ich mal den Kopierer benutzen?
(Aber: Kann man hier kopieren?
= Gibt es hier einen Kopierer?)

Höflicher im Konjunktiv II (→ Nr. 169, 170):
Könnte / Dürfte ich den Kopierer benutzen?

37   *müssen* und *sollen* – Pflicht und Auftrag

Wir müssen pünktlich sein.   Du sollst nicht stehlen.
(Pflicht)   (moralische Pflicht)

müssen   sollen

Die Ware muss / soll am 15. in Köln sein. (Auftrag)
Herr Sander muss / soll die Papiere vorbereiten. (Auftrag an Herrn Sander)
Ich muss / soll die Papiere vorbereiten. (Auftrag an mich)
muss = ich weiß das
soll = jemand sagt mir das

Konjunktiv II:
Ich müsste um 5 zu Hause sein. (Pflicht)
Sie sollten pünktlich sein. (Rat)
Sie sollten nicht so viel rauchen. (Vorwurf)

38   *wollen* und *möchten* – Wille und Wunsch

Die Firma will Gewinn machen.   Möchten Sie einen Termin?
(Wille)   (Wunsch)
                                              Ich möchte gern wissen ...
                                              (Höfliche Frage. *möchte* wird oft
                                              gebraucht.)
                                              (= ... würde gern wissen)

wollen   möchte

Ich will / möchte Sie nicht stören, aber ... (= Absicht)
(*möchte* ist freundlicher als *will*.)

32. Was dürfen, können **oder** möchten **Sie?**

dürfen   a)   (nicht) Klavier spielen
können   b)   nach Hause telefonieren
möchten   c)   den Chef sprechen
                     d)   (nicht) Spanisch sprechen
                     e)   keinen Lärm machen
                     f)   nicht bei Rot über die Kreuzung gehen
                     g)   Sie zum Kaffee einladen
                     h)   leider nicht früher kommen

33. Wen oder was mögen Sie?

Ich _____ dich.   Wir _____ Sprachen.
Du _____ mich.   Ihr _____ Partys.
Er / sie _____ Mathematik.   Sie _____ keinen Kaffee.

34. Notieren Sie den Infinitiv.

Willst du?
Warum nicht?   _____
Du musst!
Ich muss nicht.   _____
Du sollst!
Aber bestimmt nicht. Kannst du?   _____
Ja, gern.

Kannst du? – Welche Form ist noch höflicher?   _____
Welche Modalverben haben keinen Umlaut?   _____

35. Setzen Sie ein: wissen, weiß, wusste, gewusst.

▨   _____ Sie was?
▲   Ich _____ nichts.
▨   Ich _____ schon lange, dass …
▲   Das _____ ich auch. Aber ich hatte es vergessen.
▨   Na sehen Sie. Alle haben es nämlich _____.
     Und seit gestern _____ ich auch …
▲   Na klar. Das _____ ich auch …

36. *Das Büro zu Hause*
    Setzen Sie ein: könken, wollen, müssen, möchten, dürfen *oder* sollen.

    a) Arbeit zu Hause _____ schön sein: kein Chef, keine Arbeitszeiten
        und Essen in der Familie.
    b) Man _____ am Vormittag, am Nachmittag oder abends arbeiten.
    c) Tele-Arbeit _____ die Lösung für die Zukunft sein.
    d) Besonders Berufe in der Textverarbeitung und Informatik sind geeignet.
        Tele-Arbeit _____ viele Arbeitsplätze schaffen.
    e) Mütter mit Kindern _____ gern zu Hause arbeiten.
    f) Sie _____ kochen und die Kinder zur Schule bringen. Daneben
        _____ sie aber auch Geld verdienen.
    g) Tele-Arbeit heißt 60 % der Zeit zu Hause arbeiten und 40 % im Büro.
        D. h. Tele-Arbeiter _____ ihren Arbeitsplatz zu Hause verlassen
        und haben einen Schreibtisch im Büro.
    h) Sie _____ regelmäßig ihren Chef und ihre Kollegen sprechen.
    i) Allein zu Hause arbeiten _____ ein Problem sein. Psychologen
        warnen: Isolation droht. Tele-Arbeiter _____ deshalb engen
        Kontakt zu ihrem Büro halten.
    j) Sie interessieren sich für Tele-Arbeit? Dann _____ Sie genau
        wissen, was Sie wollen. Tele-Arbeit ist neu und hat Vorteile, aber auch
        Nachteile.

37. *Sie wollen besonders höflich sein. Wiederholen Sie die Sätze mit* könnte
    oder dürfte.

    a) Können Sie mir helfen?   _____
    b) Kann ich Sie etwas fragen?   _____
    c) Darf ich kurz telefonieren?   _____
    d) Dürfen wir hier rauchen?   _____
    e) Können wir eine Pause machen?   _____
    f) Darf ich Sie unterbrechen?   _____
    g) Kann ich mal die Prospekte sehen?_____
    h) Können Sie mir ein Taxi rufen? _____
    i) Darf ich das kopieren?   _____
    j) Können Sie die Auskunft anrufen?_____
    k) Kann ich das Fenster aufmachen? _____
    l) Können wir einen Kaffee haben? _____
    m) Kann ich ein Fax schicken?   _____
    n) Kann ich die CD-ROM haben?   _____

38. Grammatik im Text – Spielregeln fürs Büro

Begrüßung

Wenn Sie im Büro ankommen, sollten Sie freundlich grüßen. Azubis können in der Berufsschule „Hi" sagen. Vor Kunden sollten Sie sich aber für ein „Guten Morgen" entscheiden. Wenn Sie jemand begegnen, sollten Sie auch immer Kontakt mit den Augen suchen.

Mittagspause

In vielen Firmen sagt man ab 11 Uhr nicht „Guten Tag" oder „Grüß Gott", sondern „Mahlzeit". Das sollten Sie nicht verwenden. Grüßen Sie mit „Hallo" oder „Guten Tag" und sehen Sie den anderen freundlich an. „Mahlzeit" ist absolut out.

Rauchen

Jeder kann einen rauchfreien Arbeitsplatz fordern. Wenn Sie rauchen wollen, müssen Ihre Kollegen einverstanden sein. Sie sollten auch in Konferenzen oder Teamgesprächen immer fragen: „Stört es, wenn ich rauche?"

Was bedeuten die Modalverben? Sagen Sie es in Ihrer Muttersprache.

lassen und *brauchen*

lassen – die Formen

	Präsens	Präteritum	Perfekt
ich	lasse	ließ	habe gelassen (oder lassen)
du	lässt	ließt	hast
er / sie / es	lässt	ließ	hat
wir	lassen	ließen	haben
ihr	lasst	ließt	habt
sie	lassen	ließen	haben

Die 1. und die 3. Person Singular haben im Präteritum keine Endung.
(→ Syntax-Baustein 3c, Nr. 47)

Er **lässt** die Akten **kommen**.

(1) Gebrauch als modales Hilfsverb:
lassen + Infinitiv

Er **hat** die Akten **kommen lassen**.
Er **ließ** die Akten **kommen**.

Perfekt: *haben* + 2 Infinitive
Besser ist das Präteritum.

Er wollte halbtags arbeiten, aber
der Chef **hat** ihn nicht **gelassen**.
Lassen Sie das!

(2) Gebrauch als Vollverb
Perfekt: *haben* + *gelassen*
(ziemlich unhöflich)

40 *lassen* **als modales Hilfsverb**

lassen + Infinitiv

(Aktion)
Sie lässt den Gast abholen.
(= etwas machen lassen)

Sie lässt die Papiere im Büro.
Sie lässt die Akten liegen.
(= *nicht mitnehmen* oder *vergessen*)

Sie lässt die Kinder spielen.
(= *erlauben*)

(keine Aktion; zum Teil ohne Infinitiv)
sich (nicht) lassen + Infinitiv
Das lässt sich organisieren.
(= Das kann man organisieren.)
Der Computer lässt sich nicht reparieren.
(= Man kann ihn nicht reparieren.)

39. Ergänzen Sie.

a) Er hat die Briefe liegen _____.
b) Sie hat den Computer reparieren _____.
c) Sie hat Dieter nicht an den Computer _____.

Übungen

d) Sie hat ihn links liegen _____.
e) Er hat den Computer laufen _____.
f) Sie hat das Gerät holen _____.

40. Bekannte Wendungen: *a* oder *ä*?

a) L___ss das!
b) Da l___sst sich nichts machen.
c) L___ss nur! Ich mache das schon.
d) Das l_____ sich machen.
e) _____ Sie sich nichts gefallen!
f) Leben und leben _____.

brauchen

41

(→ Infinitiv mit *zu* → Nr. 160)

Ich **brauche** Papier und Kugelschreiber. *brauchen* ist Vollverb

positiv: Sie **brauchen** nur **anzurufen**. oder modales Hilfsverb:
negativ: Sie **brauchen** nicht zu **kommen**. *brauchen* + *zu* + Infinitiv
(= müssen nicht kommen)

41. Ergänzen Sie.

a) _____ Sie Hilfe?
b) Ist alles in Ordnung oder _____ ihr etwas?
c) Ich _____ jetzt einen Kaffee.
d) Wir _____ kein Handy.
e) Du wirst ein Handy _____. Es ist praktisch.
f) Ich _____ nicht mit einem Handy zu telefonieren, ich habe
ein Telefon.
g) In der Natur oder beim Sport _____ ich nicht zu telefonieren.
h) Aber in der Firma oder unterwegs _____ du die Kommunikation.

Wo ist brauchen *ein modales Hilfsverb?*

Mischverben

Die Formen

Infinitiv		Präsens	Präteritum	Perfekt
brennen	er / sie / es	brennt	brannte	hat gebrannt
bringen		bringt	brachte	hat gebracht
denken		denkt	dachte	hat gedacht
kennen		kennt	kannte	hat gekannt
nennen		nennt	nannte	hat genannt
rennen		rennt	rannte	ist gerannt
senden		sendet	sandte	hat gesandt

Mischverben sind Verben mit regelmäßigen Endungen. Sie ändern aber den Stammvokal im Präteritum und Perfekt: *e – a – a*.
(→ Modalverben, Nr. 26–35)

42. Markieren Sie den Stammvokal.

nannte   rannte   gekannt
      gebrannt   sandte

Die Mischverben haben im Präteritum und Perfekt den Vokal ___.

43. Ergänzen Sie.

a) Warum bist du so _____? (rennen)
b) Hast du etwas _____? (mitbringen)
c) Tante Birgit hat ein Päckchen _____. (senden)
d) Sie hat an deinen Geburtstag _____. (denken)
e) Ich habe sie immer Tantchen _____. (nennen)
f) Auf dem Foto habe ich sie sofort _____. (erkennen)
g) Weihnachten hat unser Weihnachtsbaum _____. (brennen)
h) Er _____ (rennen) zum Bahnhof.
i) Er _____ (bringen) die Zeitung.
j) Er _____ (kennen) die Leute.
k) Wir _____ (senden) eine E-Mail.
l) Was _____ (denken) du?

Trennbare und untrennbare Verben

Die Formen

Trennbare Verben	Untrennbare Verben	
ich rufe an	ich verreise	Präsens
ich habe angerufen	ich bin verreist	Perfekt
sie rief an	sie verreiste	Präteritum
sie hatte angerufen	sie war verreist	Plusquamperfekt
Ruft sie an?	Verreist sie?	Frage
Hat sie angerufen?	Ist sie verreist?	
Wann hat sie angerufen?	Wann ist sie verreist?	
Ruf mal an!	Verreise doch!	Imperativ

Trennbare Verben betonen die Vorsilbe (ánrufen), untrennbare Verben betonen den Verbstamm (verréisen).

Trennbare Vorsilben stehen mit dem Verb oder allein.
(→ Syntax-Baustein 3, Nr. 47)

Beispiel:
fahren

ab / fahren	– fährt ab	Im Deutschen gibt es
los / fahren	– fährt los	viele Verben mit
mit / fahren	– fährt mit	verschiedenen Vorsilben.
nach / fahren	– fährt nach	
überfahren	– überfährt	
vorbei / fahren	– fährt vorbei	
weg / fahren	– fährt weg	

Schlagen Sie in einem Wörterbuch nach, wenn Sie nicht sicher sind. Dort sind die trennbaren Verben
besonders gekennzeichnet   oder man sieht es an einem Beispiel.

'ab|fah·ren (V. 130) **1** ⟨V. t.; hat⟩ Güter ~ *mittels Wagen abtransportieren;* eine Strecke ~ *entlang-fahren;* etwas ~ lassen *mit Wagen abholen lassen;* ihm ist ein Bein abgefahren worden *durch Über-fahren abgetrennt worden;* ein Rad ~ *ein R. durch (unvorsichtiges) Fahren abbrechen;* jmdn. ~ lassen *jmdn. abweisen, jmdm. eine barsch ablehnende Antwort geben;* auf etwas od. jmdn. ~ ⟨salopp⟩ *über etwas od. jmdn. in Begeisterung geraten, sich*

ạb·fah·ren [Vr] **1** *etw. a.* ⟨hat⟩ etw. mit e-m Fahrzeug wegtransportieren **2** *etw. a.* ⟨hat / ist⟩ e-e Strecke suchend entlangfahren **3** *etw. a.* ⟨hat⟩ etw. durch häufiges Fahren abnutzen ⟨e-n Reifen a.⟩ **4** *j-m etw. a.* ⟨hat⟩ j-m e-n Körperteil durch Überfahren abtrennen: *Ihm wurden bei dem Unfall beide Beine abgefahren;* [Vi] ⟨ist⟩ **5** (von Personen) ≈ wegfahren **6** *etw. fährt ab* ein Fahrzeug setzt sich in Bewegung od. verläßt e-n Ort **7** (*voll*) *auf j-n / etw. a. gespr;*

Wahrig, Deutsches Wörterbuch   Langenscheidt Großwörterbuch DaF

Die Vorsilben

44   **Trennbar** sind:

ab-	abgeben (gibt ab), abholen (holt ab)
an-	anfangen (fängt an), ankommen (kommt an)
auf-	aufhören (hört auf), aufräumen (räumt auf)
aus-	auspacken (packt aus), aussteigen (steigt aus)
bei-	beitragen (trägt bei), beitreten (tritt bei)
ein-	einkaufen (kauft ein), einladen (lädt ein)
fest-	festhalten (hält fest), feststellen (stellt fest)
her-	herfahren (fährt her), herkommen (kommt her)
hin-	hinfahren (fährt hin), hinkommen (kommt hin)
herein-	hereinkommen (kommt herein), hereintreten (tritt herein)
hinaus-	hinausgehen (geht hinaus), hinaustreten (tritt hinaus)
los-	losfahren (fährt los), losgehen (geht los)
mit-	mitkommen (kommt mit), mitmachen (macht mit)
nach-	nachdenken (denkt nach), nachsprechen (spricht nach)
vor-	vorschlagen (schlägt vor), vorstellen (stellt vor)
vorbei-	vorbeifahren (fährt vorbei), vorbeikommen (kommt vorbei)
weg-	wegbringen (bringt weg), weggehen (geht weg)
weiter-	weiterarbeiten (arbeitet weiter), weitermachen (macht weiter)
zu-	zuhören (hört zu), zuschauen (schaut zu)
zurück-	zurückbringen (bringt zurück), zurückgeben (gibt zurück)
zusammen-	zusammenarbeiten (arbeitet zusammen), zusammenlegen (legt zusammen)

Die Vorsilbe ist betont: *ábgeben*.

Trennbare Vorsilben sind Präpositionen (z. B. *bei*) oder Adverbien (z. B. *los*).

45   **Untrennbar** sind:

be-	beginnen (beginnt), benutzen (benutzt), bezahlen (bezahlt)
emp-	empfangen (empfängt), empfehlen (empfiehlt)
ent-	entlassen (entlässt), entscheiden (entscheidet)
er-	erfinden (erfindet), erklären (erklärt), erzählen (erzählt)
ge-	gefallen (gefällt), gehören (gehört), gelingen (gelingt)
miss-	misslingen (misslingt), missverstehen (missversteht)
ver-	verändern (verändert), verbrauchen (verbraucht), verlieren (verliert)
zer-	zerreißen (zerreißt), zerstören (zerstört)

Die Vorsilbe ist nicht betont: *begínnen*.

Trennbar und untrennbar sind:

durch-	durchlaufen (läuft durch), durchlaufen (durchläuft)
über-	übersetzen (setzt über), übersetzen (übersetzt)
um-	umfahren (fährt um), umfahren (umfährt)
unter-	unterstellen (stellt unter), unterscheiden (unterscheidet)
wider-	widerspiegeln (spiegelt wider), widersprechen (widerspricht)
wieder-	wiederbringen (bringt wieder), wiederholen (wiederholt)

Beispiele:
Ich **setze** über den Fluss **über**. – Ich **übersetze** den Text.
Er **fährt** den Radfahrer **um**. – Er **umfährt** die Baustelle.

Die Vorsilbe ist betont: *übersetzen (setzen über), úmfahren (fährt um).*
Die Vorsilbe ist nicht betont: *übersétzen (übersetzt), umfáhren (umfährt).*

44. Verb + viele Vorsilben:

ab-	los-	mit-	nach-
vorbei-	fahren	über-	
er-	weg-	zurück-	

Kennen Sie die Bedeutungen? Schlagen Sie im Wörterbuch nach.

45. Markieren Sie die Vorsilben.

missverstehen	abfahren	ankommen	aussteigen
wegfahren	vorbeifahren	bekommen	umziehen
verlieren	zerreißen		

Bilden Sie die 3. Person Singular Präsens und notieren Sie die trennbaren Vorsilben. Die trennbaren Vorsilben lauten:

_____

Es sind Pr_____ oder Ad_____.

46. Wo ist der Akzent?

a) Wiederholen Sie bitte.

b) Ich übersetze den Satz.

c) Können Sie den Inhalt wiedergeben?

Übungen

d) Ich muss genau zuhören.

e) Die Gruppe will zusammen-
arbeiten.

f) Was wollen Sie vorschlagen?

g) Das müssen wir festhalten.

h) Hat Ihnen das Spiel gefallen?

Notieren Sie die trennbaren Verben.
Regel:
Trennbare Verben betonen die _____.
_____ Verben betonen den Verbstamm.

47. Bilden Sie zusammengesetzte Verben und ordnen Sie sie in die Tabelle.

an-   er-   aus-

ab-   ver-   be-   weiter-   vor-

weg-   unter-   zurück-   wieder-

holen   machen   gehen

Trennbare Verben	3. P. Sg.	Beispiel

Untrennbare Verben	3. P. Sg.	Beispiel

Übersetzen Sie die Wörter in Ihre Muttersprache. Vergleichen Sie die Formen.
Wie übersetzen Sie die Vorsilben?

Die Satzklammer ist typisch für die deutsche Sprache.

	Position II			Satzende
a) Herr Schmidt	hat		heute Morgen	angerufen.
	Hat	er	heute Morgen	angerufen?
b) Er	ruft / rief		heute Morgen	an.
	Ruft	er	wieder	an?
	Rufen	Sie	bitte	an!
c) Ich	möchte	ihn		anrufen.
Ich	lasse	ihn		anrufen.
Ich	werde	ihn	morgen	anrufen.

Der konjugierte Teil steht auf Position II.
Das Partizip II, die Vorsilbe, der Infinitiv stehen am Satzende.

---

48. *frühstücken. **Heißt es** er / sie frühstückt **oder** er / sie stückt früh?*

   a) **Ergänzen Sie.**
   Wann _____ Sie _____?
   Ich habe gestern nicht _____.
   b) Markieren Sie den Akzent: frühstücken
   c) Notieren Sie die Formen: er / sie _____.
   d) frühstücken betont die Vorsilbe, das Verb
   ist aber _____ trennbar.

49. **Notieren Sie den Infinitiv: Zusammen oder getrennt?**
   Beispiel: Fritz fährt gern Rad.
                Rad fahren

   a)   Im Urlaub ist er Schi gefahren.   _____
   b)   Er hat viele Leute kennen gelernt. _____
   c)   Er fährt gern Auto.   _____
   d)   Er geht nicht gern spazieren.   _____
   e)   Sie kann gut Maschine schreiben.   _____
   f)   Hat sie sauber gemacht?   _____

g) Bleiben Sie doch sitzen. _____
h) Unsere Tochter ist sitzen
geblieben. Sie macht die Klasse
noch einmal. _____
i) Warum bleibt ihr stehen? _____
j) Wir fahren nicht weg, Kersten
ist krank. _____
k) Was bleibt uns anderes übrig? _____

50. Wie heißt das Verb?

a) die Abfahrt *abfahren – er / sie fährt ab*
b) die Zusammenarbeit _____
c) die Anmeldung _____
d) der Vorschlag _____
e) der Beitrag _____
f) die Einladung _____
g) die Vorstellung _____
h) die Übersetzung _____
i) die Entscheidung _____
j) der Verbrauch _____
k) der Verlust

51. Grammatik im Text – Lesen Sie zuerst den Text.

Wie schreibt man R A D F A H R E N, Schweizerdeutsch V E L O F A H R E N?

▨ Wie schreibt man R A D F A H R E N? Zusammen oder getrennt?
Groß oder klein?
▲ Getrennt natürlich und Rad groß.
▨ Und warum?
▲ Also – AUTO FAHREN schreibt man getrennt und Auto natürlich groß.
Jetzt schreibt man RAD FAHREN auch getrennt und Rad groß.
▨ Eigentlich logisch.
▲ Ja, siehst du, neue Rechtschreibung! Sie hat doch Vorteile, wie du siehst.
▨ Gibt es noch andere Beispiele?
▲ SCHI FAHREN, SCHLITTSCHUH LAUFEN, MASCHINE SCHREIBEN …
▨ O. K. MASCHINE SCHREIBEN braucht man kaum noch. Wer schreibt denn
noch auf der Schreibmaschine, alle schreiben mit dem Computer.
▲ Ja gut, du wolltest Beispiele …

■ Hast du auch eine Regel?

▲ Ja, und die lautet so: Die Verbindung aus Substantiv und Verb schreibt man getrennt.

■ Aha. Und Verbindungen aus Verb und Verb?

▲ Das ist wichtig. Ist dein Wörterbuch sehr alt? Jetzt werden Wörter aus Verb + Verb getrennt geschrieben. Also: sitzen bleiben, sitzen lassen oder spazieren gehen, kennen lernen usw. Zum Beispiel: Er bleibt im Sessel sitzen und: Er ist in der Schule sitzen geblieben. SITZEN BLEIBEN auseinander.

■ Das ist einfacher, finde ich. Und wie ist es mit Verbindungen aus Adjektiv und Verb?

▲ Gute Frage. Wie schreibst du FERNSEHEN?

■ Zusammen und klein. Aber das ist bestimmt falsch.

▲ Nein, nein, das ist richtig. Fernsehen schreibt man zusammen. Und was meinst du, wie schreibt man FESTHALTEN?

■ Mm.

▲ O. k., ich gebe dir zwei Beispiele. Erstes Beispiel: Halte dich fest! Zweites Beispiel: Wir halten das im Protokoll fest. Ich erkläre es dir. Die Regel lautet: Verbindungen aus Adjektiv und Verb schreibt man getrennt, wenn man das Adjektiv steigern oder erweitern kann. Also *fester* oder *sehr fest*. Man kann sagen: Halte dich fester oder halte dich sehr fest. Aber man kann nicht sagen: Wir halten das im Protokoll fester. Deshalb: erstes Beispiel auseinander, zweites Beispiel zusammen.

■ Naja, das ist nicht so einfach. Aber einfacher geht es wohl nicht.

▲ Stimmt genau!

Notieren Sie die Verben vom Typ Rad fahren.

Infinitiv	Präsens	Präteritum	Perfekt
Rad fahren	er / sie fährt Rad	fuhr Rad	ist Rad gefahren

Notieren Sie Verb + Verb. Was passt zusammen?

lassen   sitzen   liegen   sich gefallen
   bleiben   stehen   kommen

Reflexive Verben

Die Formen

	Akkusativ	Dativ
ich	interessiere **mich** für Sport	wünsche **mir** ein Rennrad
du	interessierst **dich**	wünschst **dir**
er / sie / es	interessiert **sich**	wünscht **sich**
wir	interessieren **uns**	wünschen **uns**
ihr	interessiert **euch**	wünscht **euch**
sie / Sie	interessieren **sich**	wünschen **sich**

Die Reflexivpronomen sind identisch mit den Personalpronomen, nur
die 3. Person Singular und Plural lautet *sich*. Die Reflexivpronomen stehen
im Akkusativ oder Dativ.
Es gibt keine Regeln. Das Reflexivpronomen müssen Sie mit dem Verb
lernen.

Reflexive Verben

sich ausruhen	– Ruh dich aus!
sich bedanken	– Wir bedanken uns.
sich beeilen	– Beeil dich!
sich beschweren	– Beschwer dich nicht!
sich entschließen	– Warum entschließt du dich nicht?
sich bewerben	– Er hat sich beworben.
sich ereignen	– Bei Schnee ereignen sich Unfälle.
sich erholen	– Sie hat sich gut erholt.
sich erkälten	– Erkälte dich nicht!
sich erkundigen	– Hat er sich erkundigt?
sich freuen	– Freust du dich?
sich irren	– Wir haben uns geirrt.
sich kümmern	– Kümmere dich um ihn!
sich schämen	– Schäm dich!
sich verabreden	– Ich habe mich mit ihm verabredet.
sich verhalten	– Er verhält sich nicht richtig.
sich weigern	– Warum weigerst du dich?
sich wundern	– Alle wundern sich.

Reflexiv gebrauchte Verben

Verb

Ich wasche

    mich.   + Reflexivpronomen

    die Wäsche.   + Akkusativergänzung

  mir   die Hände.   + Reflexivpronomen + Akkusativergänzung

ich — *mich* / *mir*   ist dieselbe Person.

sich ändern	Ich ändere **mich** nicht.	Refl.P. = Akk.
etwas ändern	Wir ändern unsere Pläne.	Akkusativergänzung
sich ärgern	Ich ärgere **mich** darüber.	Refl.P = Akk.
jemand(en) ärgern	Hast du Eva geärgert?	Akkusativergänzung
sich anmelden	Hast du **dich** angemeldet?	Refl.P. = Akk.
jemand(en) anmelden	Hast du Pit angemeldet?	Akkusativergänzung
sich anziehen	Ich ziehe **mich** jetzt an.	Refl.P. = Akk.
etwas anziehen	Ich ziehe meine Jacke an.	Akkusativergänzung
sich etwas anziehen	Ich ziehe **mir** meine Jacke an.	Refl.P. → Dativ
sich vorstellen	Darf ich **mich** vorstellen?	Refl.P. = Akk.
jemand(en) vorstellen	Darf ich Herrn E. vorstellen?	Akkusativergänzung
sich etw. / jmd. vorstellen	Ich stelle **mir** die Arbeit anders vor.	Refl.P. → Dativ
sich waschen	Ich wasche **mich**.	Refl.P. = Akk.
etw. / jmd. waschen	Ich wasche die Wäsche.	Akkusativergänzung
sich etwas waschen	Ich wasche **mir** die Hände.	Refl.P. → Dativ
sich kämmen	Ich kämme **mich**.	Refl.P. = Akk.
etw. / jmd. kämmen	Der Frisör kämmt die Kundin.	Akkusativergänzung
sich etwas kämmen	Ich kämme **mir** die Haare.	Refl.P. → Dativ
sich etwas kaufen	Ich kaufe **mir** den PC.	Refl.P. = Dat. + Akkusativergänzung
etwas kaufen	Ich kaufe den PC.	Akkusativergänzung

sich etwas merken	Hast du **dir** die Nummer gemerkt?	Refl.P. = Dativ + Akkusativergänzung
etwas merken	Hast du nichts gemerkt?	Akkusativergänzung
sich widersprechen	Du widersprichst **dir**.	Refl.P. = Dat.
jemandem widersprechen	Du widersprichst ihm.	Dativergänzung

51 Reziproke Verben

Der reziproke Gebrauch hat immer die Pluralform
(Reflexivpronomen *uns, euch, sich*):
Wir treffen uns morgen.
Wir sind uns begegnet.
Wir haben uns gut unterhalten.
Wir verstehen uns gut.
Die beiden haben sich (ineinander) verliebt.
Inge und Heinz haben sich verlobt.

Lerntipp

Notieren Sie bei den reflexiven Verben immer die 1. Person Singular.
Dann wissen Sie: *mir* oder *mich*?

Infinitiv	Präsens	Präteritum	Perfekt
sich bewerben	ich bewerbe mich	bewarb mich	habe mich beworben

---

52. *Notieren Sie das passende Reflexivpronomen oder die passenden Reflexivpronomen:*

er _____   sie (Sg.) _____

    du _____   Sie _____

      ich _____

wir _____   ihr _____

    sie (Pl.) _____

Übungen

Das Reflexivpronomen in der 3. Person Singular und Plural lautet _____.
In der _____. und _____. Person Singular gibt es verschiedene Formen im
Dativ und Akkusativ: *mich* und _____, _____ und _____.

53. *Haben Sie sich beworben?*

a) sich bewerben   Ich habe _____ bei der Firma Textil
                        _____.

b) sich entschließen   Ich habe _____ für einen Beruf im
                        Verkauf _____.

c) sich etwas vorstellen   Das stelle ich _____ interessant vor.

d) sich interessieren   Ich interessiere _____ für Mode.

e) sich informieren   Ich habe _____ vorher genau über die
                            Firma _____.

f) sich freuen   Jetzt freue ich _____ auf den Job.

54. *Notieren Sie das Substantiv. Benutzen Sie ein Wörterbuch.*

a) sich verlieben   *die Liebe*

b) sich verloben   _____

c) heiraten   _____

d) sich streiten   _____

e) sich trennen   _____

f) sich scheiden lassen   _____

55. *Notieren Sie das reflexive Verb. Benutzen Sie ein Wörterbuch.*

a) die Freude   _____

b) der Wunsch   _____

c) das Interesse   _____

d) die Vorstellung   _____

e) die Information   _____

f) das Ereignis   _____

g) die Bewerbung   _____

h) die Unterhaltung   _____

i) die Anmeldung   _____

j) der Ärger   _____

k) die Erkältung   _____

l) der Irrtum   _____

56. Grammatik im Text – Lesen Sie zuerst.

Weiterbildung lohnt sich

Auf die Frage „Hat sich Weiterbildung gelohnt?" antworteten von
je 100 Teilnehmern:

nach: Globus 2677, Quelle: DIW

Wissen macht sich bezahlt (= lohnt sich). Das sagten Arbeiterinnen und
Arbeiter, die sich beruflich weitergebildet haben. Es handelt sich um Kurse
zur betrieblichen Einarbeitung, Qualifizierung und Umschulung.

Notieren Sie die reflexiven Verben in der Statistik. Übersetzen Sie die Verben.
Sind die Wörter in Ihrer Sprache auch reflexiv?

52

Syntax-Baustein 4

Satzstellung *sich* im Hauptsatz

	Position II			
a) Er	wünscht	sich	einen Laptop.	
Er	hat	sich	einen Laptop	gewünscht.
b) Zum Geburtstag	wünscht	er sich	einen Laptop.	

a) Das Reflexivpronomen steht dicht beim konjugierten Verb oder Hilfsverb:
   Er wünscht sich – hat sich ... gewünscht.
b) Bei zwei Pronomen steht zuerst das Personalpronomen im Nominativ und
   dann das Reflexivpronomen: *... wünscht er sich ...*

57. Ergänzen Sie das Reflexivpronomen.

a) Hast / du / bedankt?

b) Er / interessiert / für Fußball.

c) Warum / ärgerst / du?

d) Wir / kaufen / einen Laptop.

e) Sie / hat / beeilt.

f) Hast / du / den Namen / gemerkt?

g) Warum / entschuldigst / du / nicht?

h) Sie / hat / gerade / verabschiedet.

i) Er / hat / bei Siemens / beworben.

j) Wir / haben / gut / unterhalten.

k) Er / hat / zum / Sprachkurs / angemeldet.

l) Was / wünschst / du?

Der Imperativ

Die Formen

53

	du-Form		*ihr*-Form		*Sie*-Form
du rufst	Ruf!	ihr ruft	Ruft!	Sie rufen	Rufen Sie!
du rufst an	Ruf an!	ihr ruft an	Ruft an!	Sie rufen an	Rufen Sie an!
du arbeitest	Arbeite!	ihr arbeitet	Arbeitet!	Sie arbeiten	Arbeiten Sie!
du änderst	Änd(e)re!	ihr ändert	Ändert!	Sie ändern	Ändern Sie!
du gibst	Gib!	ihr gebt	Gebt!	Sie geben	Geben Sie!
du fährst	Fahr! (kein Umlaut)	ihr fahrt	Fahrt!	Sie fahren	Fahren Sie!
du bist	**Sei!**	ihr seid	Seid!	Sie sind	**Seien** Sie!
du hast	Hab!	ihr habt	Habt!	Sie haben	Haben Sie!

Imperativsätze beginnen mit dem Verb (*Kommen Sie …!*). Es gibt *du*-Formen (= eine Person), *ihr*-Formen (= mehrere Personen) und *Sie*-Formen (= formell: eine oder mehrere Personen). Bei der *du*-Form streichen Sie die Präsens-Endung -st weg, dann haben Sie den Imperativ. Die *ihr*-Form ist die Präsens-Form 2. Person Plural. Bei der *Sie*-Form steht zuerst das Verb und dann *Sie*.

Ruf! / Ruft! = *familiär*

Rufen Sie! = *formell*

Ruf an! / Setz dich!

immer mit *Sie*

Imperativform, dann Präfix / Reflexivpronomen

Endung -e in der *du*-Form

arbeiten	du arbeitest	Arbeite!	Verben auf -*t*-/-*d*-
reden	du redest	Rede!	
lächeln	du lächelst	Lächle!	auf -*eln*/-*ern*
ändern	du änderst	Änd(e)re!	
besichtigen	du besichtigst	Besichtige!	auf -*ig*-
atmen	du atmest	Atme!	auf Konsonant + -*m*-/-*n*-
öffnen	du öffnest	Öffne!	

54

Rufen Sie mir bitte ein Taxi!
Rauch nicht so viel!
Mach jetzt deine Schulaufgaben!
Kommen Sie gut nach Hause!

Der Imperativ ist
eine Bitte oder Aufforderung,
ein Rat oder eine Empfehlung,
ein Befehl
oder ein Wunsch.

55

Lerntipp

Sie wollen doch bestimmt höflich sein. Dann vergessen Sie bei
Aufforderungen das Wörtchen *bitte* nicht:
Bitte, gib mir noch eine Tasse Kaffee!
oder: *Gib mir bitte noch eine Tasse Kaffee!*
oder: *Gib mir noch eine Tasse Kaffee, bitte!*

Oder formulieren Sie Fragen:
Gibst du mir noch eine Tasse Kaffee?
oder: *Gibst du mir bitte noch eine Tasse Kaffee?*
oder: *Gibst du mir noch eine Tasse Kaffee, bitte?*
oder: *Bitte, gibst du …?*

Bitte sagt man nicht bei Ratschlägen, Empfehlungen, Befehlen oder
Wünschen: *Komm gut nach Hause!*

Imperative sind oft aggressiv, z. B. *Rauch nicht so viel!* Freundlich wird die
Formulierung mit *doch, mal* oder *nur: Rauch doch nicht so viel! Komm mal her!*
Bleiben Sie nur sitzen!
(→ Nr. 152)
Oder: *Setz dich! Setz dich doch!* Als Frage: *Willst du dich nicht setzen?*
Noch höflicher ist der Konjunktiv: *Helfen Sie mir bitte! Könnten Sie mir helfen?*
(→ Nr. 169, 170)

58. Formulieren Sie höfliche Bitten.

a) mir den Brief der Firma Karl /
   bringen   *Bringen Sie mir bitte den Brief ...*
b) ein Fax an Fa. Kölbel / schreiben   _____
c) die Konferenz / vorbereiten   _____
d) den Besuch / am Empfang /
   abholen   _____
e) einen Tisch / im Restaurant /
   reservieren   _____
f) die Getränke / besorgen   _____
g) ein Zimmer / für eine Nacht /
   bestellen   _____
h) Prospekte / hinlegen   _____

Sagen Sie es noch höflicher: Könnten Sie ...?

59. Formulieren Sie Ratschläge.

a) Chancen prüfen   *Prüf deine Chancen!*
b) (Es gibt 380 Ausbildungsberufe.)
   sich genau informieren   _____
c) mit Lehrern, Eltern und Freunden
   über deinen Berufswunsch
   sprechen   _____
d) die Vorteile und Nachteile
   diskutieren   _____
e) (an ein Mädchen) sich doch für
   einen Jungenberuf entscheiden   _____
f) (bei einer Absage) doch nicht
   enttäuscht sein   _____
g) zuerst ein Praktikum machen   _____

60. Erklär mir das! Wie bedient man einen CD-Player?

a) _____ (einschalten) das Gerät _____.
b) _____ (drücken) die Taste OPEN.
c) _____ (einlegen) die CD _____.
d) _____ (starten) die Wiedergabe und
   _____ (drücken) PLAY.

e) _____ (suchen) einen bestimmten Abschnitt.

f) _____ (halten) die Taste.

g) _____ (loslassen) die Taste _____.

h) _____ (programmieren) die Titel in einer Reihenfolge.

i) _____ (stoppen) die Wiedergabe.

j) _____ (fassen) nie auf die CD. _____ (halten)
sie am Rand.

k) _____ (abspielen) keine kaputte CD _____.

61. Grammatik im Text – Lesen Sie die Anzeigen.

Rufen Sie uns an.

Erfolg im Beruf

Sprachkurse
Berufliche Fortbildung
Computerkurse

Informieren Sie sich.

Informationen zur Weiterbildung

Sprechen Sie mit uns. Wir sind der
Experte für Weiterbildung.
Fordern Sie unseren Katalog an.
Rufen Sie uns an. Wir beraten Sie
gern persönlich.
DAB Weiterbildung schafft Zukunft

Telefonieren Sie gern? Dann kommen Sie zu uns.
Wir suchen **Teilzeit-Sachbearbeiterinnen** für die Kundenberatung.
Arbeitszeit wöchentlich 3 Stunden,
am Mittwoch oder Donnerstag, abends.
Arbeitszeit nach Vereinbarung.

Wenn Sie beim Telefonieren lächeln können, dann rufen Sie uns an.
Am 9. April von 9–12 Uhr
Ekkehard Fritze   Frans-Hals-Str. 8, 86157 Augsburg
Tel. 08 21 / 99 65 31   Fax   08 21 / 99 76 77
Hofmark Versicherungen

Suchen Sie die Imperative.

Syntax-Baustein 5

Die Negation

1. *ja, nein, doch*

56

Arbeiten Sie im Export? — **Ja,** ich arbeite im Export.
Nein, ich arbeite **nicht** im Export.

Haben Sie **nicht** gefrühstückt? — **Doch,** ich habe gefrühstückt.
Nein, ich habe **nicht** gefrühstückt.

Machen Sie **keine** Mittagspause? — **Doch,** ich mache gleich Mittagspause.
Nein, ich mache **keine** Mittagspause.

2. Einen Satz negieren

57

	Verb					Satzende
Sie	arbeitet			heute	**nicht.**	
Sie	hat			heute	**nicht**	gearbeitet.
Sie	ruft	ihn		heute	**nicht**	an.
Er	will	das Auto				kaufen.
Er	will	das Auto			**nicht**	kaufen.

Nicht steht möglichst am Satzende, aber in der Satzklammer.

Er	hat	etwas			gesehen.
Er	hat		**nichts**		gesehen.

nichts = nicht etwas

3. Einen Satzteil negieren

58

Nicht sie	ruft	ihn		heute	an	(, sondern ihre Schwester).
Sie	ruft	heute	**nicht ihn**		an	(, sondern ihren Vater).
Sie	ruft	ihn	**nicht heute**		an	(, sondern morgen).

Nicht steht vor dem Satzteil, der negiert wird.

Ich	habe	ein	Auto.
Ich	habe	**kein**	Auto.
Er	ist		Arzt.
Er	ist	**nicht / kein**	Arzt.

kein- ist der negative Artikel. (→ Nr. 80, 82)

62. Sie haben heute schlechte Laune. Sie sagen immer das Gegenteil.
Gebrauchen Sie *nicht* **und** *kein-.*

a) Das Wetter ist schön.   d) Ich trinke einen Kaffee.
b) Das Essen ist gut.   e) Ich freue mich auf den Urlaub.
c) Die Arbeit gefällt mir.   f) Ich rufe Herrn Schmidt an.

63. Verneinen Sie.

a) Herr Krause arbeitet.   *Herr Eberl* _____
b) Er arbeitet gern.   *Er* _____
c) Er fährt mit dem Auto ins Büro.   _____
d) Er interessiert sich für Politik.   _____
e) Er hat dem Kollegen gratuliert.   _____
f) Er hat ein Fax geschrieben.   _____
g) Er kann Auto fahren*.   _____
h) Er kann gut Auto fahren.   _____

* *nicht* steht vor dem festen Ausdruck.

64. Regeln für den Verkehrsteilnehmer. Geben Sie Ratschläge mit *nicht* **oder** *kein-.*
Beispiel: bei Rot über die Straße gehen
               Geh nicht bei Rot über die Straße.

a) auf Landstraßen über   f) in der Stadt über 50 fahren
    100 fahren   g) beim Fahren telefonieren
b) Alkohol trinken   h) so oft hupen
c) bei Nebel so schnell fahren   i) in der Kurve überholen
d) so plötzlich bremsen   j) so weit links fahren
e) so schnell fahren

II. Das Substantiv

der Mann, die Frau, das Kind

Das Substantiv hat drei Genera:
maskulin, feminin, neutral.

das Hotel, die Hotels
das / dem Hotel, des Hotels

Es kommt im Singular und Plural vor
und in den verschiedenen Kasus.

das große Hotel
die kommende Woche
drei (große) Hotels
das größte Hotel der Stadt

Links können Adjektive,
Partizipien
und / oder Zahlwörter stehen.
Rechts können Substantive im
Genitiv stehen.

das Hotel → es

Anstelle des Substantivs kann das
Pronomen stehen.

Das Genus

Die Formen

maskulin	der Mann	der Geburtsort
feminin	die Frau	die Nationalität
neutral	das Kind	das Alter

Die Artikel *der, die* und *das* kennzeichnen die Genera.

Personennamen haben ein natürliches Geschlecht:

der
der Mann, der Herr, der Junge
der Vater, der Sohn, der Bruder, der Onkel

der Schüler, der Ausländer, der Kollege
der Direktor, der Professor

Berufe auf *-er:*
der Lehrer, der Maler, der Dichter, der Politiker
der Bauer, der Handwerker, der Akademiker

die

die Frau, die Dame
die Mutter, die Tochter, die Schwester, die Tante

die Schülerin, die Ausländerin, die Kollegin
die Direktorin, die Professorin

Berufe auf *-in:*
die Lehrerin, die Malerin, die Dichterin, die Politikerin
die Bäuerin, die Handwerkerin, die Akademikerin

Es gibt folgende Besonderheiten:

das Mädchen, das Fräulein, das Mannequin, das Weib	(1) Der Artikel ist neutral, die Person ist feminin.
der Mensch, der Gast, der Boss, der Lehrling das Staatsoberhaupt, das Mitglied	(2) Es gibt auch Substantive mit den Artikeln *der* oder *das*, die eine Frau oder einen Mann bezeichnen.
der Vati (Vater), die Omi (Oma), die Anni (Anna), der Wolfi (Wolfgang)	(3) Die Endung *-i* kommt bei Vornamen und Familienbezeichnungen vor. Sie drückt Liebe und Zuneigung aus.
der / die Promi (= Prominente) der / die Ossi (= Ostdeutsche) der / die Wessi (= Westdeutsche) der / die Azubi (= Auszubildende) der Profi (= der Professionelle, *nur maskulin*)	Die Endung *-i* kommt auch bei einigen Abkürzungen vor. Häufig sind die Pluralformen: *die Ossis, Wessis, Azubis …*
der / die Auszubildende (= der Lehrling) der / die Reisende der / die Abgeordnete der / die Angestellte	(4) Einige Substantive unterscheiden das Geschlecht mit dem Artikel *der* bzw. *die.*
der Kaufmann / die Kauffrau der Fachmann / die Fachfrau	(5) Neu sind Wörter mit *-frau.*

Genusregeln

Maskulin sind   62

der Montag, der Dienstag,
    der Mittwoch, der Donnerstag,
    der Freitag, der Sonnabend
    (Samstag), der Sonntag
	(1) Wochentage

der Januar (österr. der Jänner),
    der Februar, der März, der April,
    der Juni, der Juli, der August,
    der September, der Oktober,
    der November, der Dezember:
    der Monat
    aber: die Woche, das Jahr
	(2) Monate

der Frühling, der Sommer, der Herbst, der Winter	(3) Jahreszeiten
der Norden, der Süden, der Osten, der Westen	(4) Himmelsrichtungen
der Regen, der Schnee, der Wind	(5) Wetter

der Morgen, der Mittag,
    der Nachmittag, der Abend
    aber: die Nacht
	(6) Tageszeiten

der VW, der BMW, der Mercedes,
    der Porsche, der Audi, der Fiat
    aber Motorräder: die BMW,
    die Harley Davidson
	(7) Autos

der Gang (gehen), der Verlust
    (verlieren), der Hinweis (hinweisen)
	(8) Substantive ohne Endung,
	    die von Verben stammen

der Kuchen, der Wagen, der Schaden	(9) die meisten Substantive auf *-en*

der Motor
    der Optimismus, der Pessimismus,
    der Realismus
	(10) alle Fremdwörter auf *-or* und *-us*

63 Feminin sind

die Eiche, die Buche, die Kiefer	(1) viele Bäume
die Rose, die Nelke, die Orchidee	(2) viele Blumen
die Fahrt (fahren), die Tat (tun), die Sicht (sehen)	(3) die meisten Substantive auf -t, die von Verben abstammen
die Reise, die Brille, die Tasche *aber:* der Bote, der Biologe (→ *n*-Deklination, Nr. 74)	(4) viele Substantive auf -*e*
die Einheit, die Staats-angehörigkeit	(5) Substantive auf -*heit*/-*keit*
die Malerei, die Bäckerei	-*ei*
die Wirtschaft	-*schaft*
die Einladung	-*ung*
die Konferenz, die Intelligenz, die Existenz	(6) alle Fremdwörter auf -*enz*
die Industrie, die Philosophie	-*ie*
die Fabrik, die Musik, die Politik	-*ik*
die Religion	-*ion*
die Realität, die Universität	-*tät*
die Kultur, die Reparatur	-*ur*

64 Neutral sind

essen → das Essen	(1) Substantivierungen von Infinitiven
baden → das Baden	
rauchen → das Rauchen	
leben → das Leben	
hören → das Hören	
lesen → das Lesen	
schreiben → das Schreiben	

Rauchen verboten

Baden verboten

Pizza zum Mitnehmen

blau → das Blau   und von Adjektiven
schön → das Schöne
auch: wenn, aber → das Wenn, das Aber

Spruch: Da gibt's kein Wenn und Aber.

die Blume → das Blümchen /   (2) alle Verkleinerungsformen auf
   das Blümlein   *-lein/-chen*; *-chen* ist heute die
das Kind → das Kindchen /   übliche Verkleinerungssilbe.
   das Kindlein

Merkvers: -chen und -lein machen alles klein.

das Element, das Experiment,   (3) alle Substantive auf *-(m)ent*
   das Parlament
das Gymnasium, das Studium,   (4) alle Substantive auf *-um*
   das Zentrum

1. **Notieren Sie den Artikel.**

a) ___ Norden (m)   k) ___ Praktikant
b) ___ Motorrad (n)   l) ___ Nachmittag
c) ___ Rose (f)   m) ___ Sonntag
d) ___ Motor (m)   n) ___ Jahr
e) ___ Wirtschaft (f)   o) ___ Partei
f) ___ Kultur (f)   p) ___ Reisende
g) ___ Optimismus (m)   q) ___ Auto
h) ___ Zentrum (n)   r) ___ Wagen
i) ___ Essen (n)   s) ___ Kuchen
j) ___ Einladung (f)   t) ___ Woche

2. **Sammeln Sie einsilbige Substantive und ergänzen Sie den Artikel.**

a) ___ Film   d) ___ Bett
b) ___ Ort   e) ___ Stuhl
c) ___ Tisch   usw.

Regel: Einsilbige Substantive sind oft _____.

3. *Notieren Sie die weibliche bzw. männliche Form.*

der Mechaniker _____   _____ die Redakteurin

der Boss _____   der Kollege _____

der Frisör _____   der Fachmann _____

_____ die Arzthelferin   der Lehrling _____

der Ingenieur _____   der Meister _____

der Elektroniker _____   der Handwerker _____

_____ die Chefin   _____ die Managerin

_____ die Leiterin   _____ die Flugzeugbauerin

der Schornsteinfeger _____

4. *Wie heißt die weibliche Berufsbezeichnung?*

der Fachgehilfe _____   der Gärtner _____

der Tischler _____   der Maler _____

der Politiker _____   der Arzt _____

der Schüler _____   der Verkäufer _____

der Pilot _____   der Rechtsanwalt _____

der Frisör _____   der Kaufmann _____

Regel: Feminine Berufsbezeichnungen haben meistens die Endung ___.

Unterstreichen Sie die Berufsbezeichnungen mit -er. Welche kennen Sie noch?
Regel: Berufsbezeichnungen auf -er sind _____.

5. *Lesen Sie die Abkürzungen mit Artikel.*

Das ist ...

a) EU   _____ (Europäische Union) (f)
b) IC   _____ (Intercity) (m)
c) FC Bayern   _____ (Fußballclub) (m)
d) VW   _____ (Volkswagen) (m)
e) SZ   _____ (Süddeutsche Zeitung) (f)
f) SPD   _____ (Sozialdemokratische Partei Deutschlands) (f)
g) CDU   _____ (Christlich-Demokratische Union) (f)
h) DM   _____ (Deutsche Mark, gesprochen: D-Mark) (f)
i) PKW   _____ (Personenkraftwagen) (m)
j) LKW   _____ (Lastkraftwagen) (m)

6. **Verreisen Sie gern? Vergessen Sie oft etwas? Hier ist eine Merkliste.**
   Ergänzen Sie:

   a) Badeanzug   *Ja, der ist*   f) Sonnenbrille   _____
                   wichtig.   g) Reiseführer   _____
   b) Badehose   *Ja,* _____   h) Kamera   _____
   c) Pass   _____   i) Zahnbürste   _____
   d) Ausweis   _____   j) Ticket   _____
   e) Handtasche   _____   k) Kreditkarte   _____

7. **Suchen Sie Substantive auf -*e*, zum Beispiel:**

   Presse   Krise   Straße   Geschichte   Tomate   Bote

   Notieren Sie die Substantive mit dem Artikel.
   Regel: Substantive auf -*e* sind meistens _____.

8. **Ein Wort hat zwei Artikel.**

   Reise   Reisetasche   Busreise   Reisende   Reisen
   Das Wort heißt: der / die _____

9. **Welche Wörter schreiben Sie groß? Schreiben Sie die Sätze.**

   sind sie berufstätig?   _____
   was sind sie von beruf? _____

10. **Schreiben Sie die Sätze.**

    dashausisteineschule   _____
                            _____
    ichbinmotorradfahrer   _____
                            _____
    fritzfährtfahrrad   _____
                            _____
    herrimhoffkommtausderschweiz _____
                            _____

11. Grammatik im Text

a) *Bitte füllen Sie die Anmeldung aus.*

Hotelanmeldung

Name	_____
Vorname	_____
Geburtsort	_____
Geburtsdatum	_____
Nationalität	_____
Adresse	_____
Unterschrift	_____

b) **An der Rezeption**

Rezeption: Hier die Anmeldung.
Gast: Muss ich das alles ausfüllen?
Rezeption: Nur die Anschrift und die Pass-Nummer oder
Personalausweis-Nummer, das genügt. …
Bitte noch die Unterschrift.
Gast: Ah ja, vielen Dank. – Bitte sehr!

Notieren Sie den Artikel:

___ Name (m)
___ Vorname (m)
___ Geburtsort (m)
___ Geburtsdatum (n)
___ Nationalität (f)
___ Adresse (= ___ Anschrift) (f)
___ Unterschrift (f)

c) *Warum heißt es der Rhein, aber die Elbe?*
Flussnamen sind alt. Sie sind entstanden, als es noch keine Artikel in der
deutschen Sprache gab. Die Artikel gibt es erst seit dem 11. Jahrhundert.
Davor bestimmte die Endung das Genus maskulin, feminin oder neutral.
   Viele männliche Flussnamen stammen von Flussgöttern: Das war die
Zeit noch vor den Germanen. Die Bezeichnung für den Rhein kommt auch
aus dieser Zeit, also aus der Zeit lange vor Christi Geburt. Deshalb heißt
es *der Rhein.*

Andere Flussnamen bekamen einen Zusatz. Dieser Zusatz bedeutete „fließendes Wasser" und war im Lateinischen und Althochdeutschen weiblich. Elbe aus indogermanisch „albh" wurde deshalb wahrscheinlich *die Elbe*.

Nicht so einfach ist es mit der Donau. Sie hieß lateinisch „danubius", war also männlich (Endung *-us*). Im Althochdeutschen wurde sie „tunowa" genannt. Deshalb erhielt sie später den weiblichen Artikel und heißt seitdem *die Donau*.

Gibt es in Ihrer Sprache Artikel?
Hat Ihre Sprache Genera?

Wortbildung

65

Die Wortfamilie „fahren"

Brauchen Sie die Wortbildung? Natürlich. Sie erkennen die Wörter und verstehen viele sofort. Ihr Wortschatz wächst.

Viele Wörter sind von einem Grundwort abgeleitet:

fahren		→ die Fahrt
Berg	+ Ge-	→ das Gebirge
Haus	+ -chen	→ das Häuschen
fahren	+ -zeug	→ das Fahrzeug
erfahren	+ -ung	→ die Erfahrung usw.

Substantive stammen auch von Verben, Adjektiven und Partizipien:

leben	→ das Leben
blau	→ das Blau
bekannt	→ der / die Bekannte
reisend	→ der / die Reisende
angestellt	→ der / die Angestellte

Substantive sind auch Zusammensetzungen:

die Abfahrt = ab + die Fahrt
der Fahrgast = fahren + der Gast
der Fahrkartenautomat = fahren + die Karten + der Automat

Übrigens, es gibt ungefähr eine halbe Million Wörter im Deutschen; circa die Hälfte davon sind Substantive, ein Viertel Verben und ein Sechstel Adjektive.

Hier sind Wörter der Wortfamilie „fahren":
Abfahrt   Rückfahrt   Hinfahrt   abfahren   anfahren   losfahren
   wegfahren   zurückfahren   fortfahren   sich verfahren
überfahren   umfahren   mitfahren   nachfahren   befahren
   vorfahren   die Fahrt   die Überfahrt   der Fahrer   das Fahrzeug
der Fahrgast   die Fahrkarte   der Fahrplan   das Fahrrad
   der Fahrkartenautomat   erfahren   fahrerlos   der Fahrradlenker
die Fahrradklingel   der Fahrradhändler   das Fahrradgeschäft
   der Fahrschein   die Fahrtkosten   die Fahrerlaubnis
das Fahrwasser   fahrtüchtig   die Fuhre   der Gefährte
      das Gefährt   die Erfahrung   aerfahren sein

Nur wenige Wörter müssen Sie im Wörterbuch nachschlagen:
die Fuhre = etwas, was jemand auf einem Wagen transportiert;
der Gefährte = jemand, der mich begleitet; *erfahren* = kennen lernen
(früher: reisen); *erfahren sein* = klug sein; *die Erfahrung* = Kenntnisse.

Mit den Vorsilben müssen Sie aber vorsichtig sein. Bestimmte Vorsilben
geben dem Verb eine bestimmte Bedeutung:
Ich *fahre mit* heißt: Jemand fährt und ich fahre mit ihm.
Ich *habe mich verfahren* heißt: Ich bin falsch gefahren.
anfahren = mit dem Auto losfahren; *abfahren* = *wegfahren*
fortfahren = weitermachen oder *wegfahren*
(→ Trennbare und untrennbare Verben, Nr. 43)

Beachten Sie auch das Genus:

fahren	**maskulin**	**feminin**	**neutral**
	der Fahr**er**	die Fahrt	das Fahr**en**
	der Fahrradhänd**ler**	die Hinfahrt	das Fahr**zeug**
		die Rückfahrt	
		die Erfah**rung**	
		die Fuh**re**	

Mehr über die Wortbildung in Abschnitt 76 und 96.

12. *-heit oder -keit? Benutzen Sie ein Wörterbuch.*

a) die Ein___
b) die Tätig___
c) die Krank___
d) die Geschwindig___

e) die Gesund___
f) die Möglich___
g) die Gelegen___
h) die Faul___

13. *Welche Substantive kennen Sie? Benutzen Sie ein Wörterbuch.*
Beispiel: managen → der Manager, das Management

a) malen
b) planen
c) zurückfahren
d) studieren
e) leiten

f) arbeiten
g) verkaufen
h) tischlern
i) Fahrrad fahren

14. *Bilden Sie Substantive. Benutzen Sie ein Wörterbuch.*

a) essen · *das Essen*
b) Schi fahren · *das* ___
c) wandern · ___
d) jung · *der / das* ___
e) jugendlich · *der / die* ___

f) braun · *der* ___
(= österr. der Kaffee)
g) hell · *das* ___
(= Biersorte)
h) klar · *der* ___
(= Schnaps)

Singular und Plural

Die Formen

66

Die meisten Substantive haben einen Singular und einen Plural:

Singular: der Beruf
die Firma ———→ Artikel: *der, die, das*
das Team

Plural: die Berufe ——— Artikel: immer *die*

Oft steht im Plural ein Umlaut:

a → ä: Laden → Läden   u → ü: Bruder → Brüder
o → ö: Sohn → Söhne   au → äu: Baum → Bäume

Es gibt fünf Pluralformen:

	Singular	Plural	
1. - (oft mit Umlaut)	das Zimmer	die Zimmer	Substantive auf
	der Garten	die Gärten	*-er, -en, -chen/-lein*
	das Häuschen	die Häuschen	
2. **-e** (oft mit Umlaut)	der Weg	die Wege	(viele) einsilbige
	der Baum	die Bäume	Substantive,
	das Ergebnis	die Ergebnisse	Substantive auf *-nis*
	das Zeugnis	die Zeugnisse	
3. **-er** (mit Umlaut)	das Bild	die Bilder	(viele) einsilbige
	das Haus	die Häuser	Substantive
4. **-(e)n**	die Blume	die Blumen	
	der Mensch	die Menschen	(*n*-Deklination, Nr. 74)
	die Freundin	die Freund**innen**	Feminina auf *-in*
	die Lehrerin	die Lehrer**innen**	
	die Politikerin	die Politi-kerinnen	
5. **-s**	das Büro	die Büros	oft bei Fremdwörtern
	der Chef	die Chefs	
	das Team	die Teams	
	die Party	die Partys	
	der PKW	die PKWs	bei Abkürzungen

Notieren Sie die Plurale so:
das Zimmer, -   der Garten, ⸚
der Weg, -e   der Baum, ⸚e
das Ergebnis, -se
das Bild, -er   das Haus, ⸚er
die Lehrerin, -nen
das Büro, -s

Es gibt folgende Besonderheiten bei Fremdwörtern:

das Zentrum → die Zentren	(1) Substantive auf *-um*
das Museum → die Museen	
das Studium → die Studien	
aber:	
das Visum → die Visa	

die Firma → die Firmen	(2) Substantive auf *-a*
das Thema → die Themen	
die Villa → die Villen	

Substantive ohne Plural

das Geld, der Spaß, der Stress,
    der Sport, die Musik, die Gewalt,
    die Ordnung, das Glück,
    das Vertrauen, die Erziehung,
    die Kommunikation, die Kritik,
    die Jugend, das Alter,
    das Eigentum, der Unterricht,
    der Hunger, der Durst, die Werbung,
    die Umwelt, das Wetter, der Verkehr,
    der Urlaub, die Gesundheit

(1) Ein Haus, zwei Häuser kann man zählen. Abstrakta kann man nicht zählen, sie stehen deshalb nur im Singular.

das Wandern, das Suchen,
    das Sprechen

(2) Substantivierte Infinitive

das Gold, der Strom, der Regen,
    der Essig, der Kaffee, der Tee

(3) Stoffnamen

das Gepäck, das Getreide, die Polizei,
    die Bevölkerung, das Publikum,
    das Geschirr

(4) Sammelnamen

3 Kilo Kartoffeln
10 Pfund Äpfel
30 Mark
aber: 10 Tonnen

(5) Mengen und Maße

68   Substantive ohne Singular

die USA, die Niederlande   (1) Nur im Plural stehen einige
die Alpen, die Anden   geographische Namen,

die Eltern, die Leute   (2) auch Personengruppen

die Kosten, die Kenntnisse, die Papiere   (3) und einige wichtige Substantive.
die Möbel, die Jeans, die Ferien

Lerntipp

Wollen Sie ganz sicher sein? Dann notieren und lernen Sie die Substantive
immer mit Artikel, Singular- und Pluralform, also: **das** *Glas, Gläser* (oder ¨*er*).

Tipps & Tricks

Wie heißt der Singular von *Ferien*?
Hier gibt es einige Tricks: Von *Ferien* bilden Sie *Ferientag*.
Leute: Im Singular gibt es *eine Person* oder *ein Mann, eine Frau*.
Eltern: Der Singular heißt *ein Elternteil* oder natürlich *der Vater, die Mutter*.

Manchmal funktionieren die Wörter -*stück* und -*art*.
Möbel: ein Möbel*stück*   Getreide: eine Getreide*art*
Musik: ein Musik*stück*   Sport: eine Sport*art*
Gepäck: ein Gepäck*stück*

Lerntipp

Was steht im Wörterbuch?

Jahr,	*das,*	*-(e)s,*	*-e*
	Artikel	Genitiv	Plural

15. **Ergänzen Sie die Pluralform wie im Wörterbuch. Schreiben Sie dann den Plural.**
    Beispiel: der Weg, -e → die Wege

    a) das Erlebnis   d) der Lehrer
    b) das Foto   e) die Kartoffel
    c) der LKW   f) der Apfel

16. **Haben die Wörter einen Plural? Wenn ja, wie lautet er?**

    a) der Verkehr   d) der PKW
    b) die Straße   e) die Jeans
    c) der Bus   f) der Kaffee

17. **Ergänzen Sie:** *Flasche, Glas, Liter, Pfund, Tasse, Teller, Becher, Portion, Scheibe, Stück.*
    Es gibt oft mehrere Möglichkeiten.
    Beispiel: Bier
    ein Glas / eine Flasche / ein Liter Bier

_____	Wein
_____	Butter
_____	Kaffee
_____	Suppe
_____	Jogurt
_____	Honig
_____	Käse
_____	Schinken
_____	Brot
_____	Kuchen
_____	Wurst

18. **Welche Wörter sind im Singular und Plural gleich?**

    das Thema   das Zimmer   das Erlebnis   das Häuschen
    das Bild   der Lehrling   der Manager   die Party
    der Schüler   der Bruder   der Handwerker   der Maler
    der Garten   der Pilot   die Schwester   der Vater
    der PKW

19. Ordnen Sie die Wörter in die passenden Spalten.

Fisch   Mineralwasser   Kaffee

Obst   Fleisch   Zucker   Butter   Tee

Mehl   Gemüse   Apfel

Milch   Wurst   Kirsche   Müesli   Erdäpfel (österr.)

Erdbeere   Kartoffel   Getränk   Weintraube

Was es nur im Singular gibt	Was es im Singular und Plural gibt

20. Was essen und trinken Sie morgens zum Frühstück? Notieren Sie.
(Ei, Tasse Kaffee / Tee, Butter – nichts …)

21. Grammatik im Text – Was ist Singular? Was ist Plural?

Kartoffeln, Brot und Eier …
2 Kilo Kartoffeln
1 l Milch (l = Liter)
5 Brötchen
10 Eier
1 Pfund Spinat
1 Brot
1 Becher saure Sahne

Tomaten
Kl I, 1000 g
2,98

Schnittkäse
mild und pikant,
30 % Fett i. Tr., 100 g
1,49

Miriam

Miriam Speisequark
40 % Fett i. Tr., 200 g
1,39

- Heute gibt's Spinat mit Ei.
- Fein. Aber mit Zwiebeln, ja? Und etwas Sahne.
- Aber natürlich!

- Was hast du aufgeschrieben? Lies mal vor!
- Kartoffeln, Brötchen, Äpfel, Weintrauben, Bananen.
- Okay, das haben wir alles.

- Was ist mit Getränken?
- Wir brauchen nichts. Alles da – Mineralwasser, Limo, Cola, Bier.
- Franken-Wein ist heute im Angebot.
- Na gut. Der ist für dich. Ich trinke lieber Bier.

Markieren Sie die Substantive im Plural und notieren Sie den Nominativ,
Singular und Plural. Notieren Sie die Substantive im Singular mit Artikel.

Die Deklination

Die Formen   69

Es gibt 4 Kasus.

Herr Müller wohnt in Dresden. **Er** arbeitet bei Siemens.	Nominativ Frage: Wer? (= Person) oder Was? (= Sache)
Die Stadt liegt in Sachsen. **Ich** schreibe eine Postkarte.	
Ich besuche **meine Eltern**. Ich schreibe **eine Postkarte**.	Akkusativ Frage: Wen? (= Person) oder Was? (= Sache)
Ich schreibe **dir**. Ich schreibe auch **der Firma** eine Postkarte.	Dativ Frage: Wem?
Das ist das Haus **der Eltern**.	Genitiv Frage: Wessen?

70 Singular

	maskulin		maskulin n-Deklination		feminin		neutral	
N	der	Vater	der	Mensch	die	Mutter	das	Kind
A	den	Vater	den	Menschen	die	Mutter	das	Kind
D	dem	Vater	dem	Menschen	der	Mutter	dem	Kind
G	des	Vaters	des	Menschen	der	Mutter	des	Kindes
N	ein	Vater	ein	Mensch	eine	Mutter	ein	Kind
A	einen	Vater	einen	Menschen	eine	Mutter	ein	Kind
D	einem	Vater	einem	Menschen	einer	Mutter	einem	Kind
G	eines	Vaters	eines	Menschen	einer	Mutter	eines	Kindes

71 Plural

	maskulin		maskulin n-Deklination		feminin		neutral	
N	die	Väter	die	Menschen	die	Mütter	die	Kinder
A	die	Väter	die	Menschen	die	Mütter	die	Kinder
D	den	Vätern	den	Menschen	den	Müttern	den	Kindern
G	der	Väter	der	Menschen	der	Mütter	der	Kinder
N		Väter		Menschen		Mütter		Kinder
A		Väter		Menschen		Mütter		Kinder
D		Vätern		Menschen		Müttern		Kindern
G		–		–		–		–

des Vaters, des Kindes
den Vätern, Müttern, Kindern
den / dem / des Menschen
die / den / der Menschen

Substantive haben Endungen:
im Genitiv Singular,
Dativ Plural
und in der *n*-Deklination.

Genitiv

des Vaters, des Kindes

(1) Maskuline und neutrale Substantive haben im Genitiv Singular die Endung -*s* oder -*es*.

des Buches, des Hauses, des Gastes
des Flusses, des Schmerzes

(2) -*es* steht meist bei einsilbigen Wörter und bei Wörtern, die man sonst schlecht aussprechen kann.

Julias Eltern
Doktor Maiers Sprechzeiten
Professor Erdmanns Aufsatz
Herrn und Frau Lehmanns
   Urlaubserlebnisse

(3) Der Genitiv von Eigennamen steht direkt vor dem Substantiv, zu dem er gehört.

Barbaras Eltern
= die Eltern von Barbara
die Schwester von Herrn Bauer

(4) *von* + Dativ ersetzt besonders in der mündlichen Sprache den Genitiv,

die Mitte Europas / von Europa
der Bürgermeister von Hamburg
die Einwohner von Dresden

häufig auch bei geographischen Namen.

Dativ Plural

den Vätern, den Müttern, den Kindern

Alle Substantive haben im Dativ Pural die Endung -*n*.
Ausnahmen: die Substantive auf -*s* (den Autos, den Chefs).

n-Deklination

N	der Mensch
A, D, G Sg.	den / dem / des Menschen
N, A, D, G Pl.	die / den / der Menschen

Substantive der *n*-Deklination können Sie leicht erkennen. Ihre Zahl ist begrenzt. Sie sind maskulin.
Sie haben -*(e)n* im Akkusativ, Dativ und Genitiv Singular und im Plural.

der Junge, des Jungen
der Kollege, des Kollegen
der Kunde, des Kunden
der Affe, des Affen ...
der Bär, des Bären
der Bauer, des Bauern
der Kamerad, des Kameraden
der Nachbar, des Nachbarn
der Herr, des Herrn (Pl. Herren) ...

Zur *n*-Deklination gehören:
(1) Alle maskulinen Substantive, die
    auf *-e* enden

    und einige andere maskuline
    Substantive.

der Demonstrant, des Demonstranten
der Präsident, des Präsidenten
der Polizist, des Polizisten
der Demokrat, des Demokraten
der Biologe, des Biologen
der Fotograf, des Fotografen ...

(2) Substantive, die auf *-ant / -ent /
    -ist / -at / -oge / -graf* enden.

der Buchstabe, des Buchstabens
der Friede, des Friedens
der Gedanke, des Gedankens
der Name, des Namens
das Herz, des Herzens

(3) Substantive mit *-ns* im Genitiv.

    Das Herz ist das einzige neutrale
    Substantiv mit *n*-Deklination.

der Bulgare, des Bulgaren
der Chinese, des Chinesen
der Däne, des Dänen ...
der Argentinier, des Argentiniers
der Belgier, des Belgiers
der Engländer, des Engländers ...
aber:
maskulin Singular
der Deutsche, des Deutschen
ein Deutscher, eines Deutschen
feminin Singular
die Deutsche, der Deutschen
eine Deutscher, einer Deutschen
Plural
die Deutschen, der Deutschen
Deutsche, Deutscher

(4) Nationalitäten enden auf *-e*
    und *-er.*
    -e = *n*-Deklination
    -er = Deklination maskulin,
    (→ Nr. 70, 71)

    (→ Adjektiv-Deklination,
     Nr. 91–93)

Notieren Sie die Substantive der *n*-Deklination mit dem Genitiv: *der Mensch,
des Menschen.* Dann erkennen Sie die Deklination sofort.

Was steht im Wörterbuch?

Mensch,	*der;*	*-en,*	*-en*
	Artikel	Genitiv	Plural

22. Ergänzen Sie.

a) der Beruf des _____ (Fotograf)

b) die Mutter von _____ (Herr) Neumann

c) _____ (Gabriele) Kinder

d) der Bürgermeister _____ Bremen

e) die Präsidentin _____ Bundestages

f) die Vereinigung _____ (Deutschland)

g) Er schreibt _____ Bundeskanzler einen Brief.

h) Sie schreibt _____ Leserbrief.

i) Kennen Sie meinen _____ (Kollege)?

j) Ich werde _____ (Herr) Petrelli meinem _____ (Kollege) vorstellen.

23. Notieren Sie den Genitiv.

a) der Mann, des _____   h) der Albaner, ___ _____

b) die Frau, ___ _____   i) der Herr, ___ _____

c) der Meister, ___ _____   j) die Dame, ___ _____

d) die Praktikantin, ___ _____ k) der Dozent, ___ _____

e) der Türke, ___ _____   l) der Lehrer, ___ _____

f) der Grieche, ___ _____   m) die Lehrerin, ___ _____

g) der Name, ___ _____   n) der Brief, ___ _____

24. Was tragen Sie gern? Sagen Sie es im Plural ohne Artikel.

		(Turnschuh)	(Hemd)
Ich trage gern	(Pullover)	(Kleid)	(Hose)
		(Hosenanzug)	(Overall)

25. Ergänzen Sie den Dativ Plural.

a) Gib doch _____ (die Kinder) ein Taschengeld!
b) Schreib doch _____ (unsere Eltern) eine Karte!
c) Bring doch _____ (die Geschwister) ein Geschenk mit!
d) Glaub doch _____ (die Politiker) kein Wort!
d) Schenk doch _____ (unsere Gäste) einen Atlas!

26. Was tragen Männer? Was tragen Frauen? Bilden Sie Sätze.

Mantel (m)	Jacke (f)	Rock (m)	Turnschuhe (Pl.)
Schal (m)	Handschuhe (Pl.)	Hose (f)	Hosenanzug (m)
Bluse (f)	Hemd (n)	Schlips (m)	Anzug (m)
Kleid (n)	Hut (m)	Bikini (m)	Badeanzug (m)
Badehose (f)			

27. Suchen Sie Bezeichnungen für die Nationalität und notieren Sie auch die feminine Form. Benutzen Sie das Wörterbuch.

auf -er		auf -e	
maskulin	feminin	maskulin	feminin
der / ein Italiener	die / eine Italienerin	der / ein Däne	die / eine Dänin

Regel:
Maskulin auf -er und feminin auf _____ .
Maskulin auf -e und feminin auf _____ ohne -e-.

Bilden Sie jetzt die Plurale:

die / - Italiener	die / - Italienerinnen	die / - Dänen	die / - Däninnen

Regel:
-er bleibt im Plural -er.
Der Plural feminin hat die Endung _____ .

28. Grammatik im Text.

a) *Möchten Sie Herrn Maier kennen lernen? – Ergänzen Sie.*
Müller: Kennen Sie Herr____ Maier? Nein? Warten Sie, ich stelle Sie vor.
Guten Tag, Herr____ Maier. Darf ich Ihnen Frau Schulte vorstellen?
Von der Firma Extrablatt.
Maier: Guten Tag, Frau Schulte.
Schulte: Guten Tag, Herr Maier.

Deklinieren Sie bitte das Wort „Herr":

Singular	Plural
der Herr	die _____
den _____	die _____
dem _____	den _____
des _____	der _____

b) *„Das war des Pudels Kern." – Was bedeutet die Redewendung?*
Leser von Goethes Faust kennen den Ausdruck. „Faust" ist das bekanntes-
te Werk von Johann Wolfgang von Goethe. Viele Ausdrücke und Wen-
dungen aus diesem Werk zitiert man noch heute.
   Eine Szene aus „Faust": Doktor Faust geht mit seinem Diener spazieren.
Sie treffen einen Hund, einen Pudel, der sich sehr merkwürdig benimmt.
Sie sind von ihm fasziniert und nehmen ihn mit nach Hause. Dort bellt der
Pudel pausenlos und beginnt plötzlich zu wachsen. Schließlich ist er so
groß wie ein Elefant. Das Tier verschwindet in einer Wolke und Mephisto
tritt heraus. Mephisto ist als Schüler verkleidet. „Das war also des Pudels
Kern", ruft Faust, „ein fahrender (= reisender) Scholast (= Schüler)."

Notieren Sie die Verben.
Suchen Sie dann die Subjekte.

Verb	Subjekt
kennen	Leser von Goethes Faust
ist	Faust
zitiert	man

Syntax-Baustein 6

Der Hauptsatz

Das Verb bestimmt die Struktur des Satzes, vor allem den Kasus der Ergänzungen. Merken Sie sich diese Modelle und analysieren Sie Ihre Sätze.

Nominativ	Verb	Nominativ
Er	ist	Fotograf.
Bayern	ist	ein Bundesland.
Sie	wird / bleibt	Lehrerin.
Sie	arbeitet	als Lehrerin.

Nominativ	Verb
Klaus	arbeitet.

Auch: Klaus schläft, schreit, isst, friert, singt, läuft, kommt usw.

Nominativ	Verb	Akkusativ- ergänzung
Klaus	hat	Hunger.
Er	schreibt	(einen Aufsatz).

(Sehr viele Verben haben eine Akkusativergänzung.)

Nominativ	Verb		Artergänzung
Er	ist		freundlich.
Sie	arbeitet		fleißig.

Nominativ	Verb	Akkusativ- ergänzung	Artergänzung
Wir	finden	ihn	sympathisch.

Nominativ	Verb	Akkusativ- ergänzung	Infinitiv
Martina	möchte / will / darf		verreisen.
Wir	hören / sehen	Stefan	kommen.
Angela	lernt		schreiben.
Du	brauchst		nicht aufzuräumen.
Du	brauchst	Martina	nicht zu fragen.

29. Ergänzen Sie den Satz.

Beispiel: Beate arbeitet als Praktikantin.
Wo arbeitet Beate als Praktikantin?

a) Klaus isst.
Was _____?

b) Martin schreibt einen Aufsatz.
Wann? – Morgen _____.

c) Er ist wütend.
Warum _____?

d) Wir finden Helmut nett.
Wie findet ihr Helmut? Nett? – Natürlich _____.

e) Du brauchst nicht aufzuräumen.
Muss ich aufräumen? – Nein, heute _____.

f) Martina möchte verreisen.
Nächste Woche _____.

30. Markieren Sie die Subjekte in Übung 29.

Beispiel: Beate arbeitet als Praktikantin.
Wo arbeitet Beate als Praktikantin?

Wortbildung

Komposita   76

Im Deutschen gibt es viele zusammengesetzte Wörter (= Komposita).
Täglich gibt es neue Wörter. Viele entstehen und verschwinden wieder.
Oft entstehen auch Zusammensetzungen aus drei oder mehr Wörtern.

Wichtige Zusammensetzungen:
Substantiv + Substantiv
der Zimmer / schlüssel   = das Zimmer + **der** Schlüssel
der Hotel / zimmer / schlüssel = das Hotel + das Zimmer
                                    + **der** Schlüssel
                                    Das Wort ganz rechts bestimmt
                                    das Genus.

Substantiv + *s/es* + Substantiv
s/es erleichtert die Aussprache.

das Geburtsdatum

= die Geburt + s + das Datum
(= das Datum der Geburt)

der Geburtsort

= die Geburt + s + der Ort
(= der Ort der Geburt)

die Tageszeit

= der Tag + es + die Zeit
(= die Zeit des Tages)

Substantiv + *n* + Substantiv
die Sonnenbrille

= die Sonne + n + die Brille
(= die Brille gegen die Sonne)

Verbstamm (z. B. *fahr-*) + Substantiv
das Fahrrad

= fahren + das Rad
(= das Rad zum Fahren)

das Wohnhaus

= wohnen + das Haus
(= das Haus zum Wohnen)

die Badehose

= baden + die Hose
(= die Hose zum Baden)

Adjektiv + Substantiv
das Hochhaus

= hoch + das Haus

der Schnellzug

= schnell + der Zug

Es gibt außerdem:
Adverb + Substantiv: die Hinfahrt, die Rückfahrt
Präposition + Substantiv: die Unterschrift

31. Kennen Sie Komposita? Was passt zu „Hotel-"?

Hotel___	Leiter	Zimmer	Gast
	Anmeldung	Direktor	Mensch
	Portier	Rechnung	

Notieren Sie auch den Artikel: der Hotelportier, ...

III. Artikelwörter

Artikelwörter stehen im Deutschen vor dem Substantiv. Man erkennt
das Genus, den Numerus und den Kasus des Substantivs:

Der Urlaub war sehr schön.	= maskulin, Singular, Nominativ
In **diesem** Urlaub habe ich mich gut erholt.	= maskulin, Singular, Dativ
Wir hatten einen **schönen, interessanten** Urlaub.	Zwischen Artikelwort und Substantiv kann ein Adjektiv oder mehrere Adjektive stehen.

Der bestimmte Artikel

	Singular			Plural
	maskulin	*feminin*	*neutral*	
N	**der** Urlaub	**die** Pension	**das** Gästehaus	**die** Zimmer
A	**den** Urlaub	**die** Pension	**das** Gästehaus	**die** Zimmer
D	**dem** Urlaub	**der** Pension	**dem** Gästehaus	**den** Zimmern
G	**des** Urlaubs	**der** Pension	**des** Gästehauses	**der** Zimmer

Auch:

N	dies*er* Urlaub	dies*e* Pension	dies*es* Gästehaus	dies*e* Zimmer
A	dies*en* Urlaub	dies*e* Pension	dies*es* Gästehaus	dies*e* Zimmer
D	dies*em* Urlaub	dies*er* Pension	dies*em* Gästehaus	dies*en* Zimmern
G	dies*es* Urlaubs	dies*er* Pension	dies*es* Gästehauses	dies*er* Zimmer

(→ Demonstrativpronomen, Nr. 117, 122, 123)

jed*er*	jed*e*	jed*es*	jed*e*
manch*er*	manch*e*	manch*es*	manch*e*

(→ Unbestimmte Pronomen, Nr. 117, 128)

welch*er*	welch*e*	welch*es*	welch*e*

(→ Fragewörter, Nr. 117–119)

Der unbestimmte Artikel

	Singular maskulin	feminin	neutral	Plural
N	ein Gast	eine Reise	ein Erlebnis	- Gäste / - Reisen /
A	einen Gast	eine Reise	ein Erlebnis	- Erlebnisse
D	einem Gast	einer Reise	einem Erlebnis	
G	eines Gastes	einer Reise	eines Erlebnisses	

ein ist auch Kardinalzahl: ein Gast, zwei Gäste.

Der negative Artikel

	Singular maskulin	feminin	neutral	Plural
N	kein Gast	keine Reise	kein Erlebnis	keine Gäste
A	keinen Gast	keine Reise	kein Erlebnis	keine Gäste
D	keinem Gast	keiner Reise	keinem Erlebnis	–
G	–	–	–	–

Der Genitiv ist selten.

Auch:

mein	meine	mein	meine

dein, sein / ihr, unser, euer, ihr
(→ Possessivartikel, Nr. 89)

irgendein	irgendeine	irgendein	irgendwelche
was für ein	was für eine	was für ein	was für welche

alle, einige, mehrere (nur Plural)
(→ Unbestimmte Pronomen, Nr. 128)

Oft wiederholen Sie das Substantiv nicht. Achtung: Dann bekommen
Nominativ maskulin die Endung *-er* und Nominativ neutral *-s*:
Wir fahren mit dem Bus. – Da steht aber keiner. – Gleich kommt einer.
(→ Pronomen, Nr. 117)

Bestimmter Artikel oder unbestimmter Artikel?

Der bestimmte Artikel bezeichnet etwas Individuelles oder Bekanntes:

Irene hat **den schönsten** Anorak.	Superlative
Der 1. Januar ist immer frei.	Ordinalzahlen
Der Januar hat 31 Tage.	allgemein bekannte Tatsachen
Die Schlossstraße ist da vorn.	Straßennamen

Der unbestimmte Artikel bezeichnet etwas Allgemeines oder Neues.

Gibt es **einen Sonderpreis?**	
Gibt es **Sonderpreise?**	Er hat keinen Plural.
Es gibt eine große Zahl	
von Sonderpreisen.	Statt Genitiv Plural steht *von* + Dativ.

Kein Artikel (Nullartikel)

Das ist Herr Weber.	bei Namen
Beethoven schrieb 9 Symphonien.	
(+ Adjektiv: **der** späte Beethoven)	
Was macht die Carolin?	*Aber:* In der mündlichen Sprache
Der Müller ist nicht zu Hause.	ist der bestimmte Artikel bei Namen
Die Müllers sind im Urlaub.	sehr häufig.
Sie ist Reiseleiterin.	Berufsbezeichnungen
Sie ist Italienerin.	Nationalitäten
Sie ist Katholikin.	Bezeichnungen der Religion
Luft und Wasser sind Elemente.	bei unbestimmten Mengen,
(+ Adjektiv: **die** schlechte Luft)	Stoffnamen und Mengenangaben
Er kauft Bier und Wein.	
(*Aber:* **einen** Kasten Bier)	
Das Haus ist aus Holz, nicht aus Beton.	
Sie war in Griechenland, Spanien,	bei Ländern, Städten und
Australien, in Bangkok und Tokio.	Kontinenten
(*Aber:* **in den** USA, **in der** Schweiz,	
in der Bundesrepublik)	

Wir haben Hunger und Durst.	bei Abstrakta (*haben* + Substantiv)
Er hat viel Zeit und wenig Geld.	
(*Aber:* **das** wenige Geld; Er hat **ein** Auto.)	
Ich habe Grippe (Fieber, …)	oft bei Krankheiten
(*Aber:* **eine** schwere Grippe)	
Morgens lese ich Zeitung.	bei festen Ausdrücken
(*Aber:* **die** Süddeutsche Zeitung)	
Kannst du schon Auto fahren?	
(*Aber:* **das** Auto meiner Eltern)	
Ende gut, alles gut.	bei Sprichwörtern
Er hat mehr Glück als Verstand.	
vor Ankunft des Zuges	oft nach Präpositionen
ohne Begleitung	(*nach, ohne, vor, zu*)
zu Ostern, zu Pfingsten, zu Weihnachten	
Reisen mit Spaß	bei Überschriften,
Grammatik für Anfänger	Buchtiteln
Gästehaus mit Doppelzimmern –	und Aufzählungen
Frühstücksbüfett – Schwimmbad	
Sie ist keine Reiseleiterin.	Verneinung mit *kein-*
Sie ist keine Italienerin.	
Ich habe keinen Hunger.	

Kurzformen: Präposition + bestimmter Artikel

	Der Artikel ist nicht betont.	Der Artikel ist betont.
Wir gehen heute **ins** Restaurant.	am	an dem
Wir gehen **in das** Restaurant, das du empfohlen hast.	ans	an das
	beim	bei dem
	im	in dem
Ich fahre jetzt **zum** Reisebüro.	ins	in das
Ich fahre **zu dem** Reisebüro in der Schillerstraße.	vom	von dem
	zum	zu dem
	zur	zu der

... zu dem Reisebüro in der
  Schillerstraße.
... zu dem neuen Reisebüro.
... zu dem Reisebüro, das du
  empfohlen hast.

Bei Substantiven mit einer Ergänzung,
mit Adjektiv oder mit einem
Relativsatz ist der Artikel betont.

Lerntipp   84
Bestimmter Artikel oder unbestimmter Artikel?

Ich wünsche mir **einen** Urlaub auf einer Insel.   = unbestimmt, neu
Der Urlaub im letzten Jahr war schön.   = bestimmt, bekannt

Übungen

1. **Wen kennen Sie alles?**

Ich kenne	einen	Experte	Philosoph	
	keinen	Student	Jurist	Bär
	keine	Biologe	Pessimist	Bürokrat
	viele	Idealist	Architekt	Optimist

2. **Brauchen wir ein Artikelwort oder nicht?**

a) Er ist _____ Musiker.
b) Er ist sogar _____ guter Musiker.
c) Er ist aber _____ Solist, sondern _____ Orchestermusiker.
d) _____ Orchester reist viel, auch in _____ Ausland.
e) Er war schon in _____ Japan und in _____ USA.
f) Die nächste Reise ist _____ Ostern. Es ist _____ Europa-Reise.

3. **Bestimmt, unbestimmt oder ohne Artikel?**

a) _____ Urlaub (m) am Bodensee
b) _____ Bodensee (m) ist beliebt.
c) In letzter Zeit ist aber _____ Zahl (f) der Besucher zurückgegangen.
d) _____ Schweiz, _____ Österreich und _____ Bundesrepublik machen
    jetzt _____ gemeinsames Programm (n).

e) Im April erscheint _____ neue Broschüre (f).

f) Es gibt am Bodensee _____ Oldtimer-Eisenbahn (f).

g) Für _____ Eisenbahn sind _____ Aktionstage (Pl.) geplant.

4. **Ergänzen Sie die Artikel.**

a) Ich möchte _____ Tageszeitung. – _____ SZ oder _____ FAZ?

b) Hat die Gruppe _____ Reiseleiter? – Ja, _____ Reiseleiter ist Herr Schwarz.

c) Ich wünsche mir _____ Urlaub am Meer. – O. k., buchen wir _____ Urlaub.

d) Möchtest du _____ Kaffee oder _____ Tee? – _____ Tee, bitte. _____ Kaffee ist alle, glaube ich.

5. **Dies sind Titel und Überschriften aus der Zeitung. Brauchen wir einen Artikel?**

Was _____ Konzert kostet   Musik i_____ Fernsehen

_____ Reise und _____ Erholung   _____ Abend i_____ Fernsehen

_____ Urlaub mit _____ Sport und _____ Spaß

6. **Ergänzen Sie die Artikel.**

Musik _____ Fernsehen

In _____ Sendung „Apropos _____ Musik" berichten wir über _____ türkischen Rap-Superstars „Cartel". Sie haben inzwischen auch in _____ Deutschland _____ großes Publikum.

7. **Grammatik im Text – Lesen Sie zuerst die Anzeige.**

a) **Urlaub für Individualisten**
   Sylt im Sommer
   Urlaub für Individualisten – Gästehaus mit 15 komfortablen DZ
   (Doppelzimmern) – Frühstücksbüfett und Halbpension – Schwimmbad –
   ca. 1 km vom Strand, 4,5 km vom Stadtzentrum – Alternativ zum
   Massentourismus – freundliche, persönliche Atmosphäre

   Markieren Sie alle Substantive. Notieren Sie die Substantive mit Artikel
   und Pluralform. Vergleichen Sie mit der Anzeige: Wo steht ein Artikel und
   wo steht kein Artikel?

b) *Urlaubstage*

▨ Wie war denn der Urlaub?

△ In diesem Jahr sehr schön. Letztes Jahr war das Wetter furchtbar schlecht. Dieses Jahr war's prächtig, kein Regen, nur Sonne.

▨ Naja, kein Urlaub ist wie der andere, jedes Mal eine Überraschung.

△ Das stimmt. – Auf welche Wochentage fällt eigentlich Weihnachten in diesem Jahr?

▨ Sie denken immer nur an Urlaub! Auf Donnerstag und Freitag, glaube ich.

△ Ja ideal. Da gehe ich zum Schifahren. Immer in dieselbe Gegend und immer in dasselbe Hotel.

▨ Wie langweilig!

△ Im Gegenteil! Jedes Jahr schöner Schnee und immer frische Luft. Kommen Sie doch mal mit!

Markieren Sie alle Artikelwörter mit den Substantiven, Adjektiven und Präpositionen (mit Blau).
Markieren Sie auch Ausdrücke ohne Artikelwort (mit Rot).

c) *Die schönsten Tage des Jahres*

Claudia: Da ist eine Anzeige in der Süddeutschen. Hast du die gesehen?

Frank: Was für eine Anzeige?

C.: Hier: Insel Sylt – Pension mit Komfort, nur 500 Mark die Woche.

F.: „Mit Komfort" – das bedeutet: die Pension ist nicht besonders. Das sind irgendwelche Angebote: viel Reklame und nichts dahinter. Ich bleibe lieber zu Hause und mache es mir gemütlich.

C.: Gemütlich … Und dann arbeitest du wieder. Es ist jedes Jahr dasselbe. Ich möchte weg und du möchtest nicht weg. Jeder Mensch braucht doch Urlaub und zwar von zu Hause. Auch du.

F.: Zu Hause habe ich alles: Bücher, Computer, Fernseher … Und in so einer Pension da habe ich nichts!

C.: Na Gott sei Dank! Da kannst du baden, Rad fahren, alles …

F.: Außerdem: Die Autobahnen sind voll. Alle fahren im August weg, keiner bleibt zu Hause. Da muss doch einer vernünftig bleiben.

C.: Gut. Kompromiss. Wir bleiben eine Woche zu Hause. Den Rest des Urlaubs organisiere ich.

F.: Okay, das ist ein Vorschlag. Das machen wir.

Suchen Sie die Artikelwörter. Markieren Sie die Artikelwörter und die Substantive mit Blau.
Einige Substantive stehen ohne Artikel. Markieren Sie sie mit Rot.

IV. Personalpronomen

Die Formen

	Singular					
	1. Person	2. Person		3. Person		
N	ich	du	Sie	er	sie	es
A	mich	dich	Sie	ihn	sie	es
D	mir	dir	Ihnen	ihm	ihr	ihm
G	–	–		–		

	Plural				
	1. Person	2. Person		3. Person	
N	wir	ihr	Sie	sie	
A	uns	euch	Sie	sie	
D	uns	euch	Ihnen	ihnen	
G	–	–		–	

Die formelle Anrede *Sie* wird immer großgeschrieben.
Der Genitiv ist selten.

Die 1. und die 2. Person
Ich heiße Marlene. Und **du**?
Wir sind Geschwister. Und **ihr**?

Die Personalpronomen der 1. und der 2. Person bezeichnen nur Personen.

Könnten **Sie** mir sagen,
   wo der Goetheplatz ist?

Die 2. Person ist die Anrede. Sie sagen *Sie,* wenn Sie jemand nicht kennen.

Ich rufe **Sie** morgen wieder an,
   da kann ich **Ihnen** den genauen
   Termin geben. Auf Wiedersehen,
   Herr Walter.

Oder wenn Sie jemand beruflich, nicht privat kennen.

Hast **du** Lust, uns am Wochenende
   zu besuchen?
Wann habt **ihr** Zeit, Samstag oder
   besser Sonntag?

Sie sagen *du* in der Familie,
zu Freunden und Verwandten,
zu Kindern bis ungefähr 15 Jahren
und guten Bekannten.

Sehr geehrte Frau Niebuhr,
haben **Sie** vielen Dank für Ihr
   Schreiben vom …

Liebe Beate,
   ich habe angerufen, aber **du** bist
   nie zu Hause. Jetzt schreibe ich **dir**
   schnell … Kauf **dir** doch einen
   Anrufbeantworter, das wäre toll!

Auch Jugendliche und Sportler duzen
sich; Kollegen duzen sich nur, wenn
sie es verabredet haben.
Der Wechsel von *Sie* zu *du* ist etwas
Besonderes. Erwachsene zeigen damit
ihre Freundschaft und Sympathie.
Wenn Sie aber unsicher sind, sagen
Sie zuerst *Sie*. Da machen Sie nichts
falsch.

es   86

Das ist unser Wochenendhäuschen.
Es ist jetzt zwei Jahre alt.

Das Pronomen *es* steht …
(1) für ein Substantiv neutral,

Es regnet / schneit.
Es blitzt / donnert.
Es klingelt / läutet.
Es brennt.
Es schmeckt.

(2) in festen Ausdrücken,

Wie spät ist **es**?
Es ist schon spät.
Es wird kalt.
Es bleibt kalt.

Es geht mir gut.
Es gefällt mir hier.
Es gibt hier alles.

Es wird gebaut.

(3) oft in Passivsätzen, → Nr. 164–167

Wer ist da? – Ich bin **es**.
Ist Frau Heller da? – Ich weiß **es** nicht.

(4) als Hinweis auf einen
   Zusammenhang,

Ich lehne **es** ab, **darüber zu
   diskutieren / dass wir darüber
   diskutieren.**

(5) als Hinweis auf einen Nebensatz,

Es kamen viele Leute zum Fest.

(6) oft in Position I.

I	II			
Es	geht		mir gut.	(1) Fester Ausdruck:
Gut	geht	**es**	mir.	*es* verschwindet
Heute	geht	**es**	mir gut.	nicht.
Es	kamen	viele Leute	zum Fest.	(2) *Es* steht nur in
Viele Leute	kamen		zum Fest.	Position I.
Zum Fest	kamen	viele Leute.		

Übungen

1. *Auf einer Party kommen viele Leute zusammen.*
Sagen sie du oder Sie zueinander? Was meinen Sie?

Hallo, Max, wie geht's? Man sieht … ja kaum noch.

▲ Guten Abend, Frau Henrich.
▨ Guten Abend, schön, … mal wieder zu sehen.

Guten Abend, herzlich willkommen. (geben) … mir … Jacke?

▲ (haben) … den Weg gleich gefunden?
▨ Kein Problem. … (haben) alles sehr gut beschrieben.

Na, wie geht's denn so? (studieren) … noch?

Wir haben uns lange nicht gesehen. … (sehen) ja gut aus. Kompliment!

Komm, hier ist so viel Wirbel! (möchten) … auch eine Bowle?

2. *Schreiben Sie den Brief mit allen Pronomen.*

Liebe Tina,
heute muss ich … unbedingt schreiben. Was machen … mit Mamas
Geburtstag?
… weißt, … ist schwierig wie jedes Jahr. … sagt immer, … braucht
nichts, und dann freut … sich natürlich doch, wenn … uns etwas ausdenken.
Ich möchte … heute etwas vorschlagen. Wir schenken … wirklich nichts,
d. h. nicht das Übliche, eine Tasche, einen Pullover oder so was. Wir schenken

... einen Wochenendausflug und zwar mit ... allen. Wir fahren alle zusammen irgendwohin und essen gemütlich. Wir können auch übernachten. Was hältst ... davon? Ruf ... bitte bald an.
Herzlichst Rolf

PS:
Wir können ... natürlich auch hier treffen. Vielleicht spielt das Wetter nicht mit. Dann könnt ... alle zu ... (wir) kommen. ... weißt, ... haben genug Platz. ... müssen natürlich ein Progamm machen. Kennst ... Spiele? Also melde ...!

3. **Inge und Karsten möchten Annette und Helmut einladen. Ergänzen Sie das Telefongespräch.**

▲ Wir möchten ... gern mal wieder sehen. Wann habt ... mal Zeit?
   Passt es ... nächsten Samstag?
▨ Nicht so gut. Da sind ... in Hannover. Leider.
▲ Und in vierzehn Tagen? Was macht ... da?
▨ Da ist Annette nicht zu Hause. ... ist auf einer Dienstreise.
▲ Na! Jetzt bist ... an der Reihe. Was schlägst ... vor?
▨ ... spreche erst mit Annette. Dann rufe ... ... zurück.
▲ Gut! Melde ... aber bald. ... gehen noch in den Biergarten.
▨ Ja, ... wollen auch noch weg. ... melde mich sofort. Tschüs!
▲ Bis gleich.

4. **Grammatik im Text**

Zwei Bekannte
▲ Wie lange kennen wir uns schon?
▨ Lange. Bestimmt fünf Jahre. Das war doch damals das Fest bei Erich Kohler. Da haben Sie mir von Ihren Reisen erzählt. Immer rund um den Globus. Ich war richtig neidisch.
▲ Und jetzt fahre ich nur noch an den nächsten Badesee. Am liebsten mit dem Fahrrad. – Übrigens, wollen wir nicht „du" sagen? Ich bin der Jochen.
▨ Und ich bin Peter. Darauf müssen wir anstoßen. Prost, Jochen.
▲ Prost, Peter. – Und nun erzähl mal, was machst du denn so ...?

Markieren Sie die Personalpronomen.
Suchen Sie dann die Verben.

Syntax-Baustein 7

Der Hauptsatz – Die Dativergänzung

Sie haben die Akkusativergänzung schon kennen gelernt (Nr. 75).
Hier folgen Verben mit Dativergänzung. Merken Sie sich diese Verben:

ähneln: Sie ähnelt ihr.

antworten: Antworte mir.

begegnen: Sie ist mir begegnet.

danken: Ich danke dir.

fehlen: Das fehlt mir.

folgen: Folgt mir.

gefallen: Das gefällt mir.

gehören: Gehört dir das?

gelingen: Das gelingt ihr.

glauben: Ich glaube dir.

gratulieren: Wir gratulieren dir.

helfen: Hilf mir, bitte!

misslingen: Das ist ihm misslungen.

nützen: Das nützt mir.

schaden: Das schadet dir.

schmecken: Das schmeckt mir.

widersprechen: Ich widerspreche dir.

Syntax-Baustein 8

Der Hauptsatz – Dativergänzung und Akkusativergänzung

1. Bestimmte Verben stehen mit einer Dativergänzung und mit einer
Akkusativergänzung. Die Dativergänzung steht zuerst, dann die
Akkusativergänzung.
Der Dativ ist oft eine Person, der Akkusativ eine Sache.

	Position II	Dativ	Akkusativ	
Ich	gebe	dem Postboten	das Päckchen.	
Ich	habe	dem Postboten	das Päckchen	gegeben.

Auch:
stellen, setzen, legen, hängen → Nr. 143

jmdm. etwas			
beantworten	erlauben	schreiben
beweisen	erzählen	senden
borgen / leihen	mitteilen	verbieten
bringen	sagen	versprechen
erklären	schenken	wegnehmen
empfehlen	schicken	zeigen

2. Die Dativergänzung oder die Akkusativergänzung steht manchmal am Anfang des Satzes:

Dem Postboten	werde	ich	das Päckchen	geben (, nicht der Sekretärin).	
Das Päckchen	gebe	ich	dem Postboten	mit.	

3. Das Pronomen steht immer zuerst: **kurz vor lang.**

	Position II	Pronomen	Substantiv
Ich	gebe	es	dem Postboten.
Ich	gebe	ihm	das Päckchen.
Ich	gebe	es (= Akk.)	ihm (= Dat.).

4. Bei 2 Substantiven: Dativ vor Akkusativ
Bei 2 Pronomen: Akkusativ vor Dativ

Ich gebe   dem Postboten (= Dat.)   das Päckchen (= Akk.).

Ich gebe   es (= Akk.)   ihm (= Dat.).

5.   *mir **oder** mich?*

    a)   Markus hat _____ zum Geburtstag gratuliert.
    b)   Er hat _____ angerufen. Er möchte _____ besuchen.
    c)   Jörg hat _____ nicht geantwortet.
    d)   Frag _____ doch! Ich erklär' es dir.
    e)   Christine ist verreist. Sie hat _____ nichts gesagt.
    f)   Kannst du _____ helfen?

6.   *Ergänzen Sie den Dativ.*

    a)   Bernd hat _____ geschrieben. Ich muss _____ sofort antworten.
    b)   Beate, schmeckt es _____ nicht? Was fehlt _____ ?
    c)   Was wünscht ihr _____ zu Weihnachten?
    d)   Wir schenken _____ (den Eltern) etwas Praktisches.
    e)   Ich habe einen Jogging-Anzug für Fred. Ich schenke ihn _____.
    f)   Für meine Schwester haben wir ein Fahrrad. Wir schenken es _____.

7. Ergänzen Sie.

a) Hast du _____ _____ geschickt? (dein Bruder, das Päckchen)
b) Schreib _____ _____ aus dem Urlaub! (ich, eine Karte)
c) Christoph erklärt _____ _____. (die Regel, sein Nachbar)
d) Der Ober empfiehlt _____ _____. (das Schnitzel, der Gast)
e) Ich erzähle _____ jetzt _____. (du, eine Geschichte)
f) Martin schenkt _____ _____ zum Geburtstag. (seine Freundin, eine Kette)

8. Ergänzen Sie die Personalpronomen.

a) Das ist Maria Dolores Branco. _____ kommt aus Portugal.
b) Kennen Sie Jan Mahler? _____ ist der Kollege von Konstantin.
c) Das ist Paolo. Wir haben _____ in Florenz kennen gelernt.
d) Wo sind denn die Kinder? Ich glaube, _____ sind in Martins Zimmer.
e) Kommt _____? – _____ kommen sofort.
f) Wir haben _____ (ihr) lange nicht gesehen.

9. Ergänzen Sie die Personalpronomen.

a) Herr Ober, was können Sie _____ (wir) heute empfehlen?
b) Ich habe von Achim ein Lexikon. – Und wann musst _____ _____ _____ zurückgeben?
c) Wolf braucht eine Zange. Kannst _____ _____ _____ bringen?
d) Felix kann den Brief nicht lesen. Kannst _____ _____ _____ übersetzen?
e) Der Vater verbietet den Kindern das Fernsehen. – Warum verbietet _____ _____ _____ denn?
f) Mario hat _____ (du) eine Geschichte erzählt. Kannst _____ _____ _____ noch einmal erzählen?
g) Das Buch ist etwas für Christine. Schenk _____ _____ doch!

10. Wie heißt der Satz?

a) ich / die Kollegen / die Tabelle erklären
b) das Geschenk / der Junge / nicht gefallen
c) der Fremdenführer / die Touristen / die Stadt zeigen
d) Frau Ehlers / die Firma / eine Karte aus dem Urlaub schreiben

V. Possessivartikel

Die Formen
(Gebrauch ohne Substantiv → Nr. 121)

		Singular					Plural	
		maskulin		*feminin*		*neutral*		
ich	N	mein	Koffer	meine	Tasche	mein	Gepäck	meine	Koffer
	A	meinen	Koffer	meine	Tasche	mein	Gepäck	meine	Koffer
	D	meinem	Koffer	meiner	Tasche	meinem	Gepäck	meinen	Koffern
	G	meines	Koffers	meiner	Tasche	meines	Gepäcks	meiner	Koffer
du	N	dein	Koffer	deine	Tasche	dein	Gepäck	deine	Koffer
	A	deinen	Koffer	deine	Tasche	dein	Gepäck	deine	Koffer
	D	deinem	Koffer	deiner	Tasche	deinem	Gepäck	deinen	Koffern
	G	deines	Koffers	deiner	Tasche	deines	Gepäcks	deiner	Koffer
er / es	N	sein	Koffer	seine	Tasche	sein	Gepäck	seine	Koffer
	A	seinen	Koffer	seine	Tasche	sein	Gepäck	seine	Koffer
	D	seinem	Koffer	seiner	Tasche	seinem	Gepäck	seinen	Koffern
	G	seines	Koffers	seiner	Tasche	seines	Gepäcks	seiner	Koffer
sie	N	ihr	Koffer	ihre	Tasche	ihr	Gepäck	ihre	Koffer
	A	ihren	Koffer	ihre	Tasche	ihr	Gepäck	ihre	Koffer
	D	ihrem	Koffer	ihrer	Tasche	ihrem	Gepäck	ihren	Koffern
	G	ihres	Koffers	ihrer	Tasche	ihres	Gepäcks	ihrer	Koffer
wir	N	unser	Koffer	unsere	Tasche	unser	Gepäck	unsere	Koffer
	A	unseren	Koffer	unsere	Tasche	unser	Gepäck	unsere	Koffer
	D	unserem	Koffer	unserer	Tasche	unserem	Gepäck	unseren	Koffern
	G	unseres	Koffers	unserer	Tasche	unseres	Gepäcks	unserer	Koffer
ihr	N	euer	Koffer	eure	Tasche	euer	Gepäck	eure	Koffer
	A	euren	Koffer	eure	Tasche	euer	Gepäck	eure	Koffer
	D	eurem	Koffer	eurer	Tasche	eurem	Gepäck	euren	Koffern
	G	eures	Koffers	eurer	Tasche	eures	Gepäcks	eurer	Koffer
sie	N	ihr	Koffer	ihre	Tasche	ihr	Gepäck	ihre	Koffer
	A	ihren	Koffer	ihre	Tasche	ihr	Gepäck	ihre	Koffer
	D	ihrem	Koffer	ihrer	Tasche	ihrem	Gepäck	ihren	Koffern
	G	ihres	Koffers	ihrer	Tasche	ihres	Gepäcks	ihrer	Koffer

		Singular maskulin		feminin		neutral		Plural	
Sie	N	Ihr	Koffer	Ihre	Tasche	Ihr	Gepäck	Ihre	Koffer
	A	Ihren	Koffer	Ihre	Tasche	Ihr	Gepäck	Ihre	Koffer
	D	Ihrem	Koffer	Ihrer	Tasche	Ihrem	Gepäck	Ihren	Koffern
	G	Ihres	Koffers	Ihrer	Tasche	Ihres	Gepäcks	Ihrer	Koffer

Sie/Ihr = Singular und Plural

90 Besonderheiten
ihr hat verschiedene Bedeutungen:

ihr	ihr kommt		(a) Personalpronomen
	Das ist ihr Koffer.	*Singular*	(b) Possessivartikel (= der Koffer von Marlene)
	Das ist ihr Koffer.	*Plural*	(c) Possessivartikel (= der Koffer von Franz und Marlene)
Ihr	Ist das Ihr Koffer?	*Singular*	(d) Possessivartikel (= der Koffer von Frau Müller)
	Ist das Ihr Koffer?	*Plural*	(e) Possessivartikel (= der Koffer von Herrn und Frau Müller)

Die formelle Anrede *Ihr* wird immer groß geschrieben.

Lerntipp
Wer ist der Besitzer? Wie finden Sie den Possessivartikel?

1. Überlegen Sie zuerst:	Wer?	z. B. ich	→ **mein**
2. Dann:	Was?	Tasche	→ **meine** Tasche
3. Und:	Wo im Satz?		→ Was ist mit **meiner** (= Dativ) Tasche? Ich habe **meine** (= Akkusativ) Tasche.

1. *Fragen Sie.*

    Wo ist deine Zahnbürste?
    Oh, die habe ich vergessen.
    Wie dumm!

    Fotoapparat (m)   Taucherbrille (f)   Schischuhe (Pl.)   Flossen (Pl.)
        Badeschuhe (Pl.)   Tabletten (Pl.)   Schisocken (Pl.)
    Sonnenbrille (f)   Pullover (m)   Handschuhe (Pl.)

    Was brauchen Sie noch? Ergänzen Sie weitere Sachen.

2. **Sprechen Sie jetzt mit Ulli und Birgit:** *Habt ihr eure Zahnbürsten dabei?*

3. *Ergänzen Sie den Possessivartikel.*

    a) Michaela – die CDs   Das sind _____ CDs.
    b) Michael – der CD-Player   Das ist _____ CD-Player.
    c) Wolf – der Computer   Das ist _____ Computer.
    d) Lutz und Gabriele –
        die Plattensammlung   Das ist _____ Plattensammlung.
    e) Frau Schuster – das Handy   Das ist _____ Handy.
    f) Frau und Herr Schuster –
        der Videorekorder   Das ist _____ Videorekorder.
    g) Herr Huber – das Segelboot   Das ist _____ Segelboot.
    h) Martin – der Tennisschläger   Das ist _____ Tennisschläger.
    i) Martina – das Surfbrett   Das ist _____ Surfbrett.
    j) Rudi – die Schier   Das sind _____ Schier.

4. *mein* **oder** *unser*

    Sie sagt oft „Mein ...". Er korrigiert sie.

    a) Mein nächster Urlaub ...   *Du meinst, unser* _____
    b) Mein Auto ...   _____
    c) Meine Freunde ...   _____
    d) Mein Feierabend ...   _____
    e) Mein Wochenende ...   _____
    f) Meine Zeitung ...   _____

5. **Wie groß ist Ihre Familie?**

   a) Die Mutter von mein___ Vater. Das ist mein___ _____
   b) Der Vater von mein___ Vater. Das _____
   c) Die Schwester von mein___ Mutter. _____
   d) Der Bruder von mein___ Mutter. _____
   e) Mein Vater und mein___ Mutter haben drei Kinder, eine Tochter und zwei
      Söhne. Ich bin der jüngste _____ / die jüngste _____ .
   f) Ich habe also zwei _____
   g) Mein___ Bruder hat einen Sohn und eine Tochter. Das sind mein___
      _____ und mein___ _____ .
   h) Die Frau von mein___ Sohn. Das ist mein___ Schwiegertochter.
   i) Der Mann von mein___ Tochter. Das ist mein___ Schwiegersohn.

6. **Und was sind Sie?**

   Ich bin der Sohn von _____ .   Ich bin die Tochter von _____ .
   ... der Vater von ...   ... die Mutter von ...
   ... der Onkel von ...   ... die Tante von ...
   Ich habe ...   Ich habe ...

7. **Grammatik im Text**

   Zwei Freundinnen
   ▦ Kommst du mit in den Biergarten?
   ▲ Das geht leider nicht. Ich bekomme Besuch. Morgen kommen mein
      Bruder und meine Schwägerin.
   ▦ Wo lebt denn dein Bruder jetzt?
   ▲ Er hat doch eine Griechin geheiratet und jetzt leben sie in Athen.
   ▦ Wie schön!
   ▲ Na ja, dadurch sehen wir uns sehr selten. Meine Schwester ist zur
      Zeit auch nicht da. Sie ist ein Jahr in England. – Du hast doch auch
      Geschwister. Wie ist es denn bei euch?
   ▦ Wir sehen uns oft. Meine Schwester Eva wohnt bei unseren Eltern und
      meine Schwester Christine wohnt fünf Minuten entfernt. Ich besuche
      meine Eltern regelmäßig und da sehen wir uns dann.
   ▲ Ich sehe meine Familie nur zu Weihnachten. Das ist schade, aber es
      hat einen großen Vorteil. Wir streiten nie und vertragen uns glänzend.

   Markieren Sie die Possessivartikel mit den Substantiven.

VI. Das Adjektiv

Es gibt verschiedene Adjektivdeklinationen:

der gute Wein	Nach dem bestimmten Artikel
ein guter Wein	Nach dem unbestimmten Artikel
guter Wein	Ohne Artikel

Im Plural gibt es keinen unbestimmten Artikel. Man dekliniert ohne Artikel.

Adjektive stehen beim Substantiv oder beim Verb:

ein **trockener** Wein	dekliniert	Beim Substantiv (= attributives Adjektiv)
Der Wein schmeckt **trocken**.	nicht dekliniert	Beim Verb (= adverbiales Adjektiv)
Der Wein ist **trocken**.	nicht dekliniert	(= prädikatives Adjektiv)

Die Formen nach *der/ein/-*

maskulin			*feminin*			*neutral*		
Nominativ								
Singular								
der		Wein	die		Vorspeise	das		Bier
der	gute	Wein	die	warme	Vorspeise	das	kalte	Bier
ein	gut*er*	Wein	eine	warme	Vorspeise	ein	kalt*es*	Bier
–	gut*er*	Wein	–	warme	Vorspeise	–	kalt*es*	Bier
Plural								
die		Weine						
die	guten	Weine						
–	gut*e*	Weine						

maskulin			feminin			neutral		
Akkusativ								
Singular								
d*en*	guten	Wein	di*e*	warme	Vorspeise	das	kalte	Bier
ein*en*	guten	Wein	ein*e*	warme	Vorspeise	ein	kalt*es*	Bier
–	gut*en*	Wein	–	warme	Vorspeise	–	kalt*es*	Bier
Plural								
di*e*	guten	Weine						
–	gut*e*	Weine						
Dativ								
Singular								
d*em*	guten	Wein	d*er*	warmen	Vorspeise	d*em*	kalten	Bier
ein*em*	guten	Wein	ein*er*	warmen	Vorspeise	ein*em*	kalten	Bier
–	gut*em*	Wein	–	warm*er*	Vorspeise	–	kalt*em*	Bier
Plural								
d*en*	guten	Weinen						
–	gut*en*	Weinen						
Genitiv								
Singular								
d*es*	guten	Wein*s*	d*er*	warmen	Vorspeise	d*es*	kalten	Bier*s*
ein*es*	guten	Wein*s*	ein*er*	warmen	Vorspeise	ein*es*	kalten	Bier*s*
–	guten	Wein*s*	–	warm*er*	Vorspeise	–	kalten	Bier*s*
Plural								
d*er*	guten	Weine						
–	gut*er*	Weine						

Lerntipp

der gute Wein,	Ebenso nach *dieser; jeder; mancher; welcher.*
die guten Weine	Nur Plural: *meine, ..., keine, alle.*
ein guter Wein	Ebenso nach *kein, mein (dein, ...), irgendein, was für ein.*
gute Weine	Ebenso nach *einige, mehrere, viele, wenige,* Zahlen *(10 große Äpfel).*

Besonderheiten

dunkel – eine dun**kle** Straße
edel – ein ed**ler** Tropfen (= Wein)
sensibel – ein sensi**bler** Mensch
sauer – sau**res** Obst
teuer – eine teu**re** Wohnung

(1) Adjektive auf *-el* und *-er*
    verlieren das *-e-*.

Der Turm ist **hoch**.
ein hoher Turm

(2) *hoch* verändert *ch* → *h*.

die Münch**ner** Straße
der Köl**ner** Dom
Berli**ner** Pfannkuchen
auch: der Schweiz**er** Käse

(3) Adjektive von Städtenamen
    haben die Endung *-er*.
    Sie werden großgeschrieben
    und nicht dekliniert.

Das ist eine prim**a** Idee.
Die ros**a** / lil**a** Blume ist hübsch.
Auch: Das ist eine sup**er** Idee.

(4) Adjektive auf *-a* werden
    nicht dekliniert.

Adjektive / Partizipien werden Substantive

Es gab **etwas Besonderes**.
Sie mag **nichts Süßes**.
Es gibt **wenig Neues**.

(1) Nach *etwas, nichts, viel, wenig*
    hat das substantivierte Adjektiv
    die Endung *-es* (= neutral)
    und wird großgeschrieben.

der verletzte Mann
→ **der Verletzte**
die verletzte Frau
→ **die Verletzte**

(2) Substantivierte Adjektive und
    Partizipien werden
    – mit dem bestimmten, un-
      bestimmten und ohne Artikel
      gebraucht,
    – großgeschrieben,
    – wie Adjektive dekliniert.

	Singular				Plural	
	maskulin		*feminin*			
N	der	Fremd*e*	die	Fremd*e*	die	Fremd*en*
	ein	Fremd*er*	eine	Fremd*e*		Fremd*e*
A	den	Fremd*en*	die	Fremd*e*	die	Fremd*en*
	einen	Fremd*en*	eine	Fremd*e*		Fremd*e*
D	dem	Fremd*en*	der	Fremd*en*	den	Fremd*en*
	einem	Fremd*en*	einer	Fremd*en*		Fremd*en*
G	des	Fremd*en*	der	Fremd*en*	der	Fremd*en*
	eines	Fremd*en*	einer	Fremd*en*		Fremd*er*

Neutra sind seltener: *das Neue, das Gelbe, das Rote.*

Die häufigsten Wörter

der / die	Angehörige	Adjektiv → Substantiv
	Arbeitslose	
	Bekannte	
	Blonde	
	Deutsche	
	Farbige	
	Fremde	
	Jugendliche	
	Kranke	
	Tote	
	Verwandte	
	Weiße	
der / die	Auszubildende	Partizip I → Substantiv
	Reisende	
	Vorsitzende	
der / die	Angestellte	Partizip II → Substantiv
	Behinderte	
	Betrunkene	
	Gefangene	
	Verletzte	
	Verliebte	
	Vorgesetzte	

1. Sie haben die Deklination des Substantivs und der Artikel gelernt.
In der Tabelle im Abschnitt Nr. 92 haben Sie Substantive, Artikel und
Adjektive zusammen. Lernen Sie immer alle Wörter gemeinsam!
Merken Sie sich diese Tabelle.

der	**ein**
der französische Wein (N)	ein französisch**er** Wein (N)
die italienische Vorspeise (N, A)	eine italienische Vorspeise (N, A)
das deutsche Bier (N, A)	ein deutsch**es** Bier (N, A)
(= 5 *e*-Endungen, Rest: 11 *en*-Endungen)	(= 1 *er*-Endung, 2 *e*-Endungen, 2 *es*-Endungen, Rest: 7 *en*-Endungen)

– (ohne Artikel)
Die Endungen des Adjektivs haben die Kennzeichen des Kasus und Genus.

2. Die Tabelle (Nr. 92) enthält 44 Adjektiv-Endungen. 22, also die Hälfte
lauten auf *-en*. Ein häufiger Fehler ist der Gebrauch von *-e* statt *-en*:
alle bekannten Weine, nicht: *alle bekannte Weine.*

---

1.   *Welche Adjektive passen?*

süß   groß   hart   heiß   gesund   weich   dick
  grün   frisch   bitter   leicht   riesig   reif   kalt
voll   warm

a)   Ich habe _____ Durst und _____ Hunger.
b)   Ich trinke gern _____ Tee mit Rum.
c)   Ich mag nichts _____, Bier ist mir lieber.
d)   Ich freue mich auf einen _____ Salat.
e)   Ich esse lieber etwas _____.
f)   Salat ist aber _____!
g)   Das Essen ist ja _____.
h)   Die Soße ist so _____, die schmeckt mir nicht.
i)   Der Braten ist _____.

j) Die Nudeln sind _____.

k) Herr Ober, das Bier ist nicht _____.

l) Ich möchte _____ Brötchen mit Butter und ein _____ Ei.

m) Das Ei ist ja ganz _____! Die Konfitüre ist mir zu _____.

n) Ich habe doch _____ Nudeln bestellt und keine Spagetti.

2. *Ergänzen Sie die Adjektivendung und die passenden Substantive.*

a) ein schnell___   VW, BMW, Motorrad

b) das kalt___   Januar, Jahr, Wetter

c) eine teur___   Motor, Reparatur, Auto,

d) ein gut___   Essen, Kuchen, Wagen

e) die international___   Politik, Zentrum, Realismus

f) das weit___   Reise, Meer, Flug

g) das hässlich___   Kleid, Anzug, Mantel

3. *Wie heißt der Plural?*

a) das große Hotel   *die* _____

b) das billige Ticket   _____

c) die gelbe Blume   _____

d) das weiße Hemd   _____

e) die alte Villa   _____

f) der berufstätige Mensch   _____

g) das neue Büro   _____

h) das kalte Getränk   _____

4. *Wie heißt der Plural?*

a) mit einem großen Koffer   *mit groß___* _____

b) mit einem guten Freund   _____

c) mit einem alten Fahrrad   _____

d) in einem billigen Hotel   _____

e) auf einer schönen Insel   _____

f) mit einem schnellen Schiff   _____

g) auf einem kleinen Campingplatz _____

h) an einem ruhigen Strand   _____

i) mit einem schweren Rucksack   _____

j) in einem feinen Restaurant   _____

5. *a)   Vergleichen Sie.*

Singular

N	der Regen	starker Regen
A	den Regen	starken Regen
D	mit dem Regen	bei starkem Regen
G	die Folge des Regens	die Folge starken Regens

Plural

N	die Regenfälle	starke Regenfälle
A	die Regenfälle	starke Regenfälle
D	mit den Regenfällen	bei starken Regenfällen
G	die Folge der Regenfälle	die Folge starker Regenfälle

*Markieren Sie die Endung   Markieren Sie die Endung
des bestimmten Artikels.   der Adjektive.*

Regel:
Das Adjektiv ohne Artikel übernimmt die Endung des _____.
Ausnahmen: Genitiv Singular _____ und _____.

*b)   **Deklinieren Sie auch im Singular:** die gesunde Luft – gesunde Luft;
das schlechte Wetter – schlechtes Wetter.*

6. *Kennen Sie das Gegenteil?*

a)	intelligent – _____		g)	zuverlässig – _____	
b)	mutig – _____		h)	aktiv – _____	
c)	ordentlich – _____		i)	groß – _____	
d)	zufrieden – _____		j)	dünn – _____	
e)	fair – _____		k)	hübsch – _____	
f)	lustig – _____		l)	jung – _____	

Sortieren Sie:

Aussehen	Charaktereigenschaften

7. Erfinden Sie Minidialoge.

Beispiel:

▨ Ich wollte ein weiches Ei.

▲ Tut mir Leid, das Ei ist hart. Aber harte Eier sind auch gesünder.

a) dunkles Bier – (hell)
b) trockner Wein – (halbtrocken)
c) reife Bananen – (grün)
d) billige Orangen – (teuer)
e) kalter Saft – (warm)
f) eine gesunde Ernährung – (ungesund)

8. Redewendungen

a) Dieses Problem besprechen wir nicht. Das ist ein ganz _____ Eisen.
b) Er hat viel versprochen und nichts gehalten. Er hat uns _____ Berge versprochen.
c) Sie ist immer optimistisch, sie ist immer _____ Dinge.
d) Wir müssen ganz vorsichtig mit ihm sein. Wir müssen ihn wie ein _____ Ei behandeln.
e) Tu das nicht! Das macht nur _____ Blut.
f) Das ist nicht seine Idee. Er schmückt sich wieder mit _____ Federn.

fremd   böse   heiß   roh   gut   golden

9. Grammatik im Text

a) Guten Appetit!

Guten Appetit sagt man in Deutschland zu Beginn des Essens.
Die Form ist ein Akkusativ.
Sie bedeutet: Ich wünsche einen guten Appetit.

Ein bekanntes Sprichwort sagt: **Man ist, was man isst.**

Wie viele Küchen kennen Sie?

die gute Küche   die bayerische Küche
die regionale Küche   die sächsische Küche
die neue Küche   die westfälische Küche und …
die leichte Küche

b)   *Im Rheinland sind die Sommer oft heiß und schwül (= feucht). Da kam man auf eine gute Idee. Man erfand ein leichtes Sommeressen.*

Zubereitung:

1. Rinderbrust mit Suppengrün in kochendes Salzwasser geben. 1 Stunde bei geringer Hitze kochen.

2. Fleisch in der Brühe kalt werden lassen.

3. Creme fraîche mit Pfeffer, Salz, Zitronensaft verrühren.

4. Das kalte Fleisch dünn schneiden.

5. Fleisch in die Soße tun und kalt servieren.

Dazu:
ein Weißherbst trocken (Weißherbst ist ein Roséwein)

Markieren Sie alle Adjektive:
- *mit Rot deklinierte Adjektive vor dem Substantiv*
- *mit Blau Adjektive undekliniert (alle anderen)*

Unterstreichen Sie jetzt alle Satzteile mit Adjektiv:
Artikelwort + Adjektiv + Substantiv

Wortbildung

Viele Adjektive entstehen durch Präfix + Adjektiv oder
Substantiv / Verb + Suffix.

... + Adjektiv

un-	der unfreundliche Gast	= das Gegenteil von *freundlich*
	unmodern,	*Achtung:* Nur bestimmte Adjektive
	unvorsichtig usw.	bilden das Gegenteil mit *un-*.
		Schlagen Sie immer im Wörter-
		buch nach.
über-	der übervorsichtige Fahrer	= mehr als normal
aller-	das allerschönste Erlebnis	= mehr als der Superlativ
halb-	das halbautomatische Gerät	= nur zum Teil
teil-	die teilmöblierte Wohnung	

Substantiv + ...

-ig	die einjährige Ausbildung	= *ein + das Jahr + ig*
	der einfarbige Stoff	= *ein + die Farbe + ig*
-isch	der japanische Minister	= Nationalitäten
-lich	die geschäftlichen Interessen	= in Bezug auf das Geschäft
	das elterliche Haus	= gehört den Eltern
-los	die fahrerlose Bahn	= ohne Fahrer
	die elternlosen Kinder	= ohne Eltern
-arm	die verkehrsarme Straße	= mit wenig Verkehr
-reich	die kinderreiche Familie	= mit vielen Kindern

Verb + ...

-bar	trinkbar	= kann man trinken
	unbezahlbar	= kann man nicht bezahlen

10. *-ig oder -lich? Ergänzen Sie.*

a)	ruh___	g)	pünkt___	
b)	täg___	h)	farb___	.
c)	bill___	i)	mensch___	
d)	richt___	j)	schwier___	
e)	schrift___	k)	schuld___	
f)	glück___	l)	vergeb___	

11. Ergänzen Sie. Benutzen Sie das Wörterbuch.

Land	Adjektiv	Einwohner (männlich / weiblich)
Albanien	_____	_____
Belgien	_____	_____
Bulgarien	_____	_____
China	_____	_____
Dänemark	_____	_____
Deutschland	_____	_____
England	_____	_____
Finnland	_____	_____
Frankreich	_____	_____
Griechenland	_____	_____
Irland	_____	_____
Island	_____	_____
Italien	_____	_____
Japan	_____	_____
Korea	_____	_____
Kroatien	_____	_____
Luxemburg	_____	_____
Niederlande	_____	_____
Norwegen	_____	_____
Österreich	_____	_____
Polen	_____	_____
Portugal	_____	_____
Rumänien	_____	_____
Russland	_____	_____
Schweden	_____	_____
Schweiz	_____	_____
Serbien	_____	_____
Slowenien	_____	_____
Spanien	_____	_____
Tschechien	_____	_____
Türkei	_____	_____
Ukraine	_____	_____
Ungarn	_____	_____
Afrika	_____	_____
Amerika	_____	_____
Asien	_____	_____
Australien	_____	_____
Europa	_____	_____

12. *Heute kommt das Gemüse aus allen Ländern und Erdteilen.*

Es gibt ...   Das ist / sind ...

a) Spargel aus Griechenland   *griechischer Spargel*
b) Äpfel aus Neuseeland   _____
c) Tomaten aus Holland   _____
d) Erdbeeren aus Israel   _____
e) Pilze aus Japan   _____
f) Kartoffeln aus Polen   _____
g) Weintrauben aus Südafrika   _____
h) Bananen aus Frankreich (!)   _____
i) Pfirsiche aus Italien   _____
j) Apfelsinen aus Spanien   _____
k) Aprikosen aus der Türkei   _____

Alle Adjektive haben das gleiche Suffix.
Adjektive von Ländernamen und Erdteilen haben das Suffix _____.

13. *Behaupten Sie das Gegenteil.*

a) Herr Fischer ist immer freundlich. – Das stimmt nicht. Gestern war
    er sehr _____.
b) Bist du glücklich? – Was? Ich? Ich bin sehr _____.
c) Klaus ist immer vorsichtig. – Nicht im Straßenverkehr. Da ist er leider
    _____.
d) Bist du zufrieden mit der Arbeit? – Im Gegenteil, ich bin
    _____.
e) Zum Mars fliegen, ist das möglich? – Für Menschen ist das noch
    _____. Für eine Marssonde ist das schon _____.
f) Das Problem ist mir klar. – So? Mir ist alles _____.
g) Wie heißt das Gegenteil von „natürlich"? – „Künstlich" oder „un-
    natürlich". Man sagt: Das sind _____ Blumen. Aber: Er be-
    nimmt sich _____.

14. *Wie heißt das Adjektiv?*

a) die Dummheit   *dumm*
b) die Süßigkeit (!)   _____
c) die Gesundheit / die Krankheit   _____

d)   die Arbeitslosigkeit (!)   _____
e)   die Tätigkeit   _____
f)   die Zufriedenheit   _____
g)   die Wahrheit   _____
h)   die Richtigkeit   _____
i)   der / die Kranke   _____
j)   der / die Verwandte   _____
k)   der / die Fremde   _____
l)   der / die Bekannte   _____
m)   der / die Berufstätige   _____
n)   der / die Arbeitslose   _____
o)   der / die Verletzte   _____
p)   die Verliebten   _____

Bilden Sie das Gegenteil mit *un-*, aber nur, wo es möglich ist.
Benutzen Sie das Wörterbuch.

Die Komparation

Die Formen   99

Adjektive haben drei Stufen:
schön = Positiv
schöner = Komparativ   Komparativ mit *-er-*
der / das / die **schönste** ... = Superlativ   Superlativ mit *-st-*

Man kann Personen und Dinge miteinander vergleichen. Es gibt dann die
1. und die 2. Steigerungsstufe.

Adjektiv   ... als Attribut (dekliniert)   ... im Prädikat (nicht dekliniert)   100

          die schön**e** Jahreszeit   Im Mai ist es **schön**.
          die schön**ere** Jahreszeit   Im Juli ist es **schöner**.
          die schön**ste** Jahreszeit   Im August ist es **am schönsten**.

Die Form *am ...-sten* bleibt immer unverändert.

a → ä
arm   ärmer   der / die / das ärmste   (1) Einige einsilbige
o → ö   Adjektive haben Umlaut.
groß   größer   größte
u → ü
jung   jünger   jüngste

Auch:

a → ä	o → ö	u → ü
warm	grob	dumm
lang	hoch	klug
stark		kurz
schwach		
scharf		
alt		
kalt		
hart		
nah		

gern   lieber   liebste   (2) Einige Adjektive sind
gut   besser   beste   unregelmäßig.
hoch   höher   höchste
nah   näher   nächste
viel   mehr   meiste

das **gute** Bier – das **bessere** Bier – das **beste** Bier
der hohe Turm – der höhere Turm – der höchste Turm

mehr / weniger Geld   (3) *mehr* und *weniger* bleiben
mehr / weniger Kaffee   unverändert.
Kaffee trinke ich **gern / lieber /**   *gern* ist nur Adverb.
  am liebsten.

dunkel   dunkler   dunkelste   (4) Adjektive auf -el und -er
edel   edler   edelste   verlieren das -e- im
sensibel sensibler sensibelste   Komparativ.
sauer   saurer   sauerste
teuer   teurer   teuerste
Aber: sauber, sauberer, sauberste

heiß: der heiß**este** Sommer
alt: die ält**este** Schwester
hübsch: das hübsch**este** Kleid

Auch:

-ss, -ß	-t	-tz, -z, -sch
nass	kalt	spitz
weiß	schlecht	stolz
aber: groß,	spät	kurz
die größten	weit	frisch
Bäume	breit	*aber:* bedeutend, die
		bedeutendsten Ereignisse

das beste Restaurant

Das ist **eines der besten
  Restaurants** hier.
Er ist **einer der besten Köche,**
  die wir kennen.
Heute ist **der längste Tag des Jahres.**
Das ist **das beste Restaurant der Stadt.**

(5) Adjektive auf *-ss, -ß, -t,
  -tz, -z, -sch* haben im
  Superlativ ein *-e-*.

(6) Der Superlativ ist die höchste
  Stufe. Bestimmter Artikel!

(7) Sie können den Superlativ
  auch einschränken, oft mit
  Zeit- oder Ortsangabe.

15. Ergänzen Sie.

a) Wien ist eine sehr alt___ Stadt.
b) Um Christi Geburt war das heutig___ Österreich Teil des
   römisch___ Reiches.
c) Die Römer brachten die erst___ Weinreben an die Donau.
d) Die Wien___ Küche ist eine der berühmt___ Küchen der Welt.
e) Man bestellt einen Klein___ oder einen Groß___, einen Schwarz___ oder
   einen Braun___. Welcher Kaffee schmeckt am _____?
f) Grün___ Bohnen heißen Fisolen und Schlagobers ist süß___ Sahne.

16. Es gibt viele Beschwerden. – Setzen Sie den Komparativ ein.

a) Das Essen ist nicht warm. Es könnte etwas _____ sein.
b) Der Wein ist nicht trocken. Er _____.

c)   Der Pudding ist nicht süß. _____.

d)   Das Fleisch ist nicht weich. _____.

e)   Der Salat ist nicht frisch. _____.

f)   Das Schnitzel ist nicht sehr groß. _____.

g)   Der Apfel ist nicht reif. _____.

h)   Das Bier ist nicht kalt. _____.

i)   Der Kaffee ist nicht besonders stark. _____.

17. *Hier fehlen die Superlative.*

a)   Der _____ Berg Deutschlands ist die Zugspitze mit 2962 Metern. (hoch)

b)   Der _____ See in Deutschland ist der Bodensee. (groß)

c)   Der _____ Fluss in Europa ist die Wolga. (lang)

d)   Der _____ Tag ist der 21. Dezember. (kurz)

e)   Der Sommer ist die _____ Jahreszeit. (warm)

f)   Der Januar ist der _____ Monat. (kalt)

g)   Der _____ Monat ist der Juli. (heiß)

h)   Die _____ Wohnungen gibt es in München. (teuer)

i)   Die _____ deutschen Weine wachsen im Rheintal. (gut)

j)   Die _____ Universitätsstädte sind Prag, Wien und Heidelberg. (alt)

18. *Wie heißt das Gegenteil? Erfinden Sie Minidialoge.*
Beispiel: das stärkste Bier – das schwächste Bier

▨   Weißbier ist das schwächste Bier.

▲   Stärker ist das Helle. Das stärkste Bier aber ist das Starkbier.

19. *Bilden Sie Adjektive und Substantive mit* höchst-. *(Höchst- ist der Superlativ von* hoch.*) Haben Sie einen Beispielsatz?*

das Gewicht   die Geschwindigkeit   der Preis

    einfach   gefährlich   die Leistung

Beispiel: Das Höchstgewicht sind 20 Kilo. (Gepäck im Flugzeug)

20. Was bedeutet das?

supermodern   superneugierig   supergefährlich
    superteuer   superbillig   superlaut   superstark

Die Zusammensetzung hat die Bedeutung   ■ eines Komparativs.
                                                     ■ eines Superlativs.

21. Kennen Sie den Unterschied: *sehr teuer – zu teuer*? Ergänzen Sie.

a) Das Obst ist _____ teuer. Es ist wieder teurer geworden.
b) Das Obst ist mir _____ teuer. Das kaufe ich heute nicht.
c) Der Pullover ist dir _____ groß. Du brauchst einen kleineren.
d) Die neue Kamera ist _____ schön. Meine Bilder sind super geworden.
e) Der Computer ist _____ alt. Ich brauche einen neuen.
f) Mit dem Lexikon kann ich nicht arbeiten. Das ist _____ alt.

Syntax-Baustein 10

Vergleichssätze

102

Personen und Dinge sind gleich: Gebrauchen Sie *wie*.

Der Weißwein ist **so alt wie** der Rotwein. ⟶ Hauptsatz
Der Weißwein ist **so alt, wie** ich vermutet habe. ⟶ Nebensatz

Personen und Dinge sind ungleich: Gebrauchen Sie *als*.

Der Rotwein ist **älter als** der Weißwein. ⟶ Hauptsatz
Der Rotwein ist **älter, als** ich dachte. ⟶ Nebensatz

Bei der Verneinung *nicht ... so* gebraucht man *wie*:
Der Weißwein ist **nicht so** alt **wie** der Rotwein.

Je älter der Wein, **desto** teurer ist er. ⟶ *je* + Komparativ
Je besser das Restaurant ist, **desto**   *desto* + Komparativ
teurer sind die Weine.   + Verb

dass-Sätze

Der *dass*-Satz ist ein Nebensatz. *Merke:* In Nebensätzen steht das konjugierte Verb immer am Ende. (In Hauptsätzen steht es in Position II.)
Der Inhalt des *dass*-Satzes ist eine Aussage. Bestimmte Verben leiten den *dass*-Satz ein:

Florian hat angerufen.
Ich habe gehört, dass Florian
   angerufen hat.
Ich vermute, dass er angerufen hat.
Ich glaube, dass der Weißwein
   sehr alt ist.
Ich denke, dass der Weißwein älter ist.
	(1) Verben des Denkens
	     und Sagens: *sagen, antworten,*
	     denken, glauben, meinen,
	     annehmen usw.

Ich hoffe, dass Florian bald kommt.
(Auch mit Hauptsatz: *Ich hoffe,*
   er kommt bald.)
	(2) Verben, die einen Wunsch,
	     ein Gefühl ausdrücken:
	     hoffen, fürchten, wünschen, finden,
	     wollen

Wir raten dir, dass du jetzt
   Urlaub machst.
(Auch mit Infinitivkonstruktion:
   Wir raten dir, Urlaub zu machen.
   → Nr. 160, 162)
	(3) *bitten, erlauben, raten*

Es freut mich, dass Sie die
   Stelle bekommen.
Es scheint, dass die Firma pleite ist.
	(4) Unpersönliche Verben:
	     Es gefällt mir; Es ärgert / freut mich;
	     Es scheint, …

Es ist möglich, dass das Gerät
   kaputt ist.
	(5) Adjektive mit *sein: Es ist möglich /*
	     nötig / angenehm / verboten, schön
	     usw.

Nebensätze können in Position I stehen. Vergleichen Sie:

I	II			
Ich	habe	dir	erzählt,	dass Florian kommt.
Ich	habe	es	dir erzählt.	
Dass Florian kommt,	habe	ich	dir erzählt.	

22. *Wussten Sie schon, dass …? Ergänzen Sie.*

a) Frau Müller hat einen Hund im Büro.
b) Herr Koch isst keine Spagetti.
c) Franz Xaver hat gelogen.
d) Es gibt keine weißen Mäuse mehr.
e) Alle Charterflugzeuge sind blau.
f) Menschen können zum Mars fliegen.

23. *ein gutes Restaurant – Das Restaurant ist besser, als ich dachte.*

a) die teure Ware
b) der starke Kaffee
c) das scharfe Gewürz
d) die sauren Kirschen
e) der alte Wein
f) die warme Jacke

24. In Deutschland
Beispiel:
der höchste Berg   Ich glaube, dass der höchste Berg die Zugspitze ist.

a) der _____ (lang) Fluss (Rhein)
b) die _____ (groß) Stadt mit den _____ (viel) Einwohnern (Berlin)
c) die _____ (alt) Messestadt (Leipzig)
d) das _____ (berühmt) Volksfest (das Oktoberfest)
e) das _____ (bekannt) Lied (das Lied von der Loreley)
f) das Bundesland mit den _____ (viel) Einwohnern (Nordrhein-Westfalen)
g) das _____ (klein) Bundesland (das Saarland)

25. *Vergleiche: Ergänzen Sie den richtigen Ausdruck.*

a) Er freut sich wie …
b) Er frisst wie …   ein Rohrspatz   ein Pferd
c) Er raucht wie …   ein Elefant im Porzellanladen
d) Er fährt wie …   ein Schneekönig   ein Schlot
e) Er schläft wie …   ein Bär   eine gesengte Sau
f) Er arbeitet wie …   ein Scheunendrescher
g) Er schimpft wie …
h) Er benimmt sich wie …

104 Zahladjektive

Ich habe zehn Mark	Kardinalzahlen werden nicht dekliniert.
Heute haben wir den zehn**ten** Juni.	Ordnungszahlen werden dekliniert.

105 Kardinalzahlen

0	null				
1	ein- / eins	11	**elf**	21	einundzwanzig
2	zwei	12	**zwölf**	22	zweiundzwanzig
3	drei	13	dreizehn	23	dreiundzwanzig
4	vier	14	vierzehn	24	vierundzwanzig
5	fünf	15	fünfzehn	25	fünfundzwanzig
6	sechs	16	**sechzehn**	26	sechsundzwanzig
7	sieben	17	**siebzehn**	27	siebenundzwanzig
8	acht	18	achtzehn	28	achtundzwanzig
9	neun	19	neunzehn	29	neunundzwanzig
10	zehn	20	**zwanzig**	30	dreißig

40	vierzig	101	hundert(und)eins	
50	fünfzig	102	hundert(und)zwei	
60	sechzig	...		
70	siebzig	200	zweihundert	
80	achtzig	300	dreihundert	
90	neunzig	...		
100	hundert			

1 000	tausend
10 000	zehntausend
100 000	hunderttausend
1 000 000	eine Million
2 000 000	zwei Millionen
1 000 000 000	eine Milliarde
2 000 000 000	zwei Milliarden

13 = dreizehn	(1) Lesen Sie die Zahlen von 13–99
21 = einundzwanzig	von rechts nach links.
98 = achtundneunzig	

41 = einundvierzig	(2) Am Ende der Zahl steht
1001 = tausendeins	-eins, am Anfang ein-.
Bitte, einen Kaffee und ein	(3) Der unbestimmte Artikel
Stück Kuchen.	ist auch ein Zahlwort.
Einer der Äpfel war schlecht.	
die Null, -en	(4) Feminine Substantive mit Plural
die Million, -en	
die Milliarde, -n	
Christine hat eine Zwei im Aufsatz,	(5) Schulnoten sind feminine
aber Gerhard hat eine Eins.	Substantive.
Wie viel Geld hast du dabei?	(6) *Wie viel?* fragt nach einer
Wie viele Flaschen sind das?	unbestimmten Menge, *Wie viele?*
	nach einer bestimmten Anzahl.
Christian und Annette sind ein	(7) *Beide* bezieht sich auf zwei
attraktives Paar. Beide gehen noch	Personen oder Gegenstände.
zur Schule. Die beiden	
passen zueinander.	
Wir können nicht Musik hören	
und gleichzeitig arbeiten. Beides	*Beides* bezeichnet den
geht nicht.	Zusammenhang.
ein Hochzeitspaar	(8) *Paar* bedeutet zwei Personen oder
zwei Paar Strümpfe / Schuhe	Sachen, die zusammengehören.
ein paar Stifte / Bücher	*ein paar* bedeutet *einige*.

Uhrzeiten 106
Frage: *Wie spät ist es?*
         Wie viel Uhr ist es?

	informell (12 Stunden)	offiziell (24 Stunden)
Es ist		
7.00	sieben (Uhr) (morgens)	sieben Uhr
7.10	zehn (Minuten) nach sieben	sieben Uhr zehn
7.40	zwanzig (Minuten) vor acht	sieben Uhr vierzig
10.00	zehn (Uhr) (vormittags)	zehn Uhr
12.00	zwölf (Uhr) (mittags)	zwölf Uhr

13.00	ein Uhr / eins	dreizehn Uhr
16.00	vier (Uhr) (nachmittags)	sechzehn Uhr
16.15	Viertel nach vier	sechzehn Uhr fünfzehn
	(= viertel fünf)	
16.30	halb fünf	sechzehn Uhr dreißig
16.45	drei viertel fünf	sechzehn Uhr fünfundvierzig
	Viertel vor fünf	
24.00	zwölf (Uhr) / Mitternacht	vierundzwanzig Uhr
0.03	drei Minuten nach zwölf	null Uhr drei
3.00	drei Uhr (nachts)	drei Uhr

7.55 (Uhr)
5 (Minuten) vor 8
sieben Uhr fünfundfünfzig

(9) Man spricht zuerst die Minuten, dann die Stunden.
Aber Sie hören im Radio offiziell zuerst die Stunden, dann die Minuten: *Es ist null Uhr fünf (Minuten)*.

Es ist fünf vor halb drei.
Es ist zehn nach drei.

(10) Präpositionen *vor* und *nach:* Nehmen Sie immer den kürzesten Abstand zur halben oder zur vollen Stunde.

Es ist Punkt zwölf.
Es ist null Uhr. (= Es ist Mitternacht.)
Er kommt gegen eins. (= ungefähr um ein Uhr)

(11) Wendungen

107 **Jahreszahlen**
im Jahr 2000 (= zweitausend)
1999 (= neunzehnhundertneunund-
    neunzig)
Im Jahr 800 war die Krönung
    Karls des Großen.

Im Jahr kann bei bedeutenden Ereignissen stehen.

108 **Geld**
Europa
1 €   ein Euro
€ 0,50   fünfzig Cent

Deutschland
DM 10,–   zehn Mark (oder D-Mark)
DM 10,50   zehn Mark fünfzig
DM 0,30   dreißig Pfennig

Österreich
S 10,–   zehn Schilling
S 10,50   zehn Schilling fünfzig
S –,30   dreißig Groschen

Schweiz
sFr 10,–   zehn (Schweizer) Franken
sFr 10,50   zehn Franken fünfzig
sFr 0,30   dreißig Rappen

Maße und Gewichte   109

Wie lang ist der Tisch? – Einen (= Akk.) Meter. / Er ist einen Meter lang.
Wie weit ist es noch? – Noch einen (= Akk.) Kilometer.
Wie schwer ist der Rucksack? – Er wiegt einen (= Akk.) Zentner.
Wie alt ist das Baby? – Einen (= Akk.) Monat. Es ist einen Monat alt.

Länge		Geschwindigkeit	
1 mm	ein Millimeter	100 km / h	hundert Kilometer pro Stunde
1 cm	ein Zentimeter		(häufig: hundert Stun-
1 m	ein Meter		denkilometer)
1,5 m	ein Meter fünfzig		
1 km	ein Kilometer		
100 km	hundert Kilometer		
1 Meile			

Fläche		Raum	
1 cm²	ein Quadratzentimeter	1 m³	ein Kubikmeter
1 m²	ein Quadratmeter	100 m³	hundert Kubikmeter
1 ha	ein Hektar	1 l	ein Liter

Gewicht			
1 g	ein Gramm	10 kg	zehn Kilo(gramm)
100 g	hundert Gramm	1 t	eine Tonne
1 Pfd.	ein Pfund		(die Tonne, -n)
3 Pfd.	drei Pfund	10 t	zehn Tonnen
1 kg	ein Kilo(gramm)		

Temperatur		Prozente	
20° C	zwanzig Grad (Celsius)	1 %	ein Prozent
0° C	null Grad (Celsius)	100 %	hundert Prozent
+ 2° C	plus zwei Grad (Celsius) / zwei Grad über Null / zwei Grad über dem Gefrierpunkt / zwei Grad Wärme		
– 2° C	minus zwei Grad (Celsius) / zwei Grad unter Null / zwei Grad unter dem Gefrierpunkt / zwei Grad Kälte		

110 Ordinalzahlen

der, die, das	**erste** ...	zehnte
	zweite	zwanzigste
	dritte	dreißigste
	vierte	einunddreißigste
	fünfte	...
	sechste	hundertste
	sieb(en)te	...
	achte	millionste
	neunte	

der erste Versuch	(1) Zahlen 2 bis 19: mit -*te*
der millionste Besucher	sonst: mit -*ste*

Nominativ	der erste Versuch	Ordinalzahlen werden wie
Akkusativ	den ersten Versuch	Adjektive dekliniert.
Dativ	dem ersten Versuch	
Genitiv	des ersten Versuchs	

der 3. Versuch / der dritte Versuch	(2) Zahl mit Punkt oder als Wort.
Friedrich II. / Friedrich der Zweite	
die Krönung Karls I. / die Krönung Karls des Ersten	
der 2. Weltkrieg / der Zweite Weltkrieg	

Heute ist der 7. 9.

Er hat am 7. 9. Geburtstag.

Ich bin am 2. Oktober 1970 geboren.
Der Wievielte ist heute? oder: Den
   Wievielten haben wir heute?

München, den 24. 10. 1998

Der Brief ist vom 24. 10.

(3) Datumsangaben liest man so:
Heute ist der Siebte Neunte (oder:
der Siebte September)
... am Siebten Neunten (oder: *am
Siebten September*) ...
Angabe in Lebensläufen
Frage nach dem Datum

(4) Datum im Briefkopf:
gesprochen *München, den Vierundzwanzigsten Zehnten* ...
*... vom Vierundzwanzigsten
Zehnten.*

Bruchzahlen 111

$^1/_4$	ein Viertel	Ordinalzahl + *-l*
$^1/_3$	ein Drittel	
$^1/_2$	ein halb-	
$^3/_4$	drei Viertel	
$1\,^1/_2$	eineinhalb (anderthalb)	
$4\,^1/_2$	viereinhalb	
$^1/_{10}$	ein Zehntel	
$^1/_{100}$	ein Hundertstel	

ein halbes Pfund Butter

ein halb- wird wie ein Adjektiv
dekliniert.

Einteilungszahlen 112

1.   erstens,   2.   zweitens,   3.   drittens   usw.

Ich gehe nicht mit.
Ich habe erstens keine Zeit und
zweitens keine Lust.

Ordinalzahl + *-ns*
Einteilungszahlen brauchen Sie bei
Aufzählungen.

113   **Wiederholungszahlen**

einmal, zweimal, dreimal usw.

Wir essen nur einmal warm am Tag,   Kardinalzahl + -*mal*
selten zweimal.

114   **Dezimalzahlen**

14,3   vierzehn Komma drei
2,28   zwei Komma zwei acht

Tipps & Tricks
In Statistiken gibt es viele Abkürzungen:
Mio.   = Million, -en
Ts.   = Tausend
Mrd.   = Milliarde, -n

Oft kommen Dezimalzahlen vor. Lesen Sie die Zahlen nach dem Komma
immer einzeln:
 3,389   drei Komma drei acht neun
10,45 %   zehn Komma vier fünf Prozent

Aber Geld liest man so:
DM 20,25   zwanzig Mark fünfundzwanzig

Am Telefon: *zwei* und *drei* sind ähnlich. Deshalb sagt man oft *zwo* und
nicht *zwei*.
650 33 60: Man liest *sechshundertfünfzig dreiunddreißig sechzig*
oder *sechs fünf null – drei drei – sechs null*.
Der Rhythmus der Zahlen ist entscheidend.

26. Wie groß, wie schwer, wie weit ...?

a) Wie lang ist der Airbus A 340? – Er ist _____ (63,66 m)
b) Wie breit sind die Flügel? (60,30 m)
c) Wie breit ist die Kabine? (5,40 m)
d) Wie viel Liter tankt das Flugzeug? (140 000 Liter Kerosin)
e) Wie schwer ist das Flugzeug beim Start? (271 t)
f) Wie hoch fliegt das Flugzeug? (12,5 Kilometer)
g) Wie kalt ist es in 12 Kilometer Höhe? (minus 50 Grad Celsius)
h) Wie weit fliegt das Flugzeug ohne Stopp? (15 000 km)
i) Wie weit sind _____ (15 000 km)? – Das ist von
    Frankfurt am Main nach Perth in Australien.
j) Wie schnell fliegt das Flugzeug? (800 – 900 km / h)
k) Wie viele Menschen fliegen jährlich weltweit? (1,5 Millionen)

27. Auf Schecks schreibt man die Summe aus. Schreiben Sie die Zahlen.

DM   212,–   _____
DM   52,–   _____
DM 1005,–   _____
DM   798,–   _____
DM   98,90   _____
DM   503,80   _____

28. Lesen Sie die Postleitzahlen.
Beispiel:
81825 = acht eins acht zwei fünf
oder einundachtzig achthundertfünfundzwanzig
oder einundachtzig zweiundachtzig fünf

54552	Demerath	17379	Demnitz b. Torgelow
19217	Demern	17139	Demzin
16866	Demerthin	85095	Denkendorf, Oberbay.
08539	Demeusel	73770	Denkendorf, Württ.
01877	Demitz-Thumitz	78588	Denkingen, Württ.
39579	Demker	86920	Denklingen, Oberbay.
17109	Demmin	38321	Denkte
15518	Demnitz b. Fürstenwalde		

29. *Jemand fragt: „Entschuldigung, können Sie mir sagen, wie spät es ist?"*
Schauen Sie auf die Uhr und antworten Sie: „Ja natürlich, es ist ... "

30. *Lesen Sie die Zahlen.*

| Mill. | 160 | 600 | 1 200 | 2 423 | 4 045 | 4 405 | 5 000 | ca.
6 300 |

Wachstum der Erdbevölkerung

| Jahr | um Chr.
Geb. | 1700 | 1850 | 1950 | 1976 | 1980 | 1987 | 2000 |

31. *Schreiben Sie die Zahlen.*

a) (24.)   der _____ Dezember
b) (1.)   der _____ Januar
c) (30.)   mein _____ Geburtstag
d) (II.)   Philipp der _____
e) (1 m)   Das Brett ist _____ _____ lang.
f)   Das kostet Milliard___.
g)   Geschichten aus _____ Nacht
h)   _____ der Orangen war schlecht.

i)   (80 km / h)   Auf Landstraßen ist die Höchstgeschwindigkeit

_____.

j)   (23.55)   Es ist _____ Uhr _____.
             Es ist kurz vor _____.

32. Wann war das? Lesen Sie die Sätze laut.

a)   Die Französische Revolution war im Jahre …
b)   Die Öffnung der Berliner Mauer war im Jahre …
c)   Das Ende des Zweiten Weltkriegs war im Mai …
d)   … entdeckte Röntgen die X-Strahlen, die bald Röntgenstrahlen heißen.
e)   … ist das Todesjahr des Kopernikus. Erst in diesem Jahr erschien sein Hauptwerk über das heliozentrische Weltbild.
f)   … unternahmen die Brüder Wright einen ersten Flug von 39 Sekunden mit einem Motorflugzeug.

1789   1989   1945   1903   1895   1543

33. Grammatik im Text – Was sagt die Statistik?

a)   **Der BigMac Barometer**
     Den BigMac kann man auf der ganzen Welt kaufen. Am Preis des BigMac kann man die Kaufkraft der Länder vergleichen:

     Der BigMac kostet in Deutschland DM 4,90.
     In _____ kostet er _____.

     a)   Österreich (der Schilling) 34,00
     b)   Schweiz (der Schweizer Franken) 5,90
     c)   Argentinien (der Peso) 2,50
     d)   Belgien (der belgische Franken) 109
     e)   Brasilien (der Real) 2,97
     f)   Großbritannien (das Pfund) 1,81
     g)   China (der Yuan) 9,70
     h)   Tschechische Republik (die tschechische Krone) 53
     i)   Frankreich (der französische Franc) 17,50
     j)   Ungarn (der Forint) 271
     k)   Italien (die Lire) 4600
     l)   Japan (der Yen) 294
     m)   Polen (der Zloty) 430

n)   Russland (der Rubel) 11
o)   Spanien (die Peseta) Pta 375

Was kostet der BigMac in Ihrem Land?
Was kostet der BigMac in Euro?

b)   *Wann trinken die Deutschen am meisten Kaffee?*

a)   *Vor dem ersten Frühstück trinken 14,7 Prozent der Deutschen Kaffee.*
b)   _____ *trinken* _____ *Kaffee.*
c)   _____
d)   _____
e)   _____
f)   _____
g)   _____

c)   *Lesen Sie die Anzeigen auf Seite 76: Was kostet/kosten ...?*

VII. Partizip I und Partizip II

Viele Partizipien gebraucht man wie Adjektive.

Attributive Partizipien 115

Infinitiv	Partizip I Infinitiv + -d- + Adjektivendung	Partizip II ge- ... -t-/-en- + Adjektivendung (→ Stammformen, S. 264)
kochen	der **kochende** Reis	der **gekochte** Reis
liefern	die **liefernde** Firma	die **gelieferte** Ware
fließen, mahlen	**fließendes** Wasser	**gemahlener** Kaffee
sich auflösen	die **sich auflösende** Tablette	die **aufgelöste** Tablette

Den Reis in **kochendes** Wasser geben.

Den **gekochten** Reis sofort servieren.

(1) Das Partizip I bezeichnet eine Aktivität: etwas geschieht. Das Partizip II bezeichnet das Ergebnis: etwas ist geschehen.

sich auflösen
die **sich auflösende** Tablette
die **aufgelöste** Tablette

(2) Bei reflexiven Verben fällt *sich* im Partizip II weg.

sich erholen
der **sich erholende** Gast
der **erholte** Gast

Prädikative Partizipien 116

Das Essen **ist serviert.**
(Der Ober hat das Essen serviert.)
Der Reis **ist** fertig **gekocht.**
(Ich habe den Reis gekocht.)

(3) *sein* + Partizip II bezeichnet einen Zustand oder ein Ergebnis.

Er ist / wird wütend.

Sie ist faszinierend.

Der Film ist aufregend und spannend.

Der Tag war / wurde anstrengend.

Das Wasser ist erfrischend.

Die Note ist ausreichend.

Das Essen ist ausgezeichnet.

Die Arbeit ist für sie geeignet.

Wir sind befreundet.

Sie ist beschäftigt.

Er ist beliebt.

Er ist entschlossen.

Das ist verboten.

Der Platz ist besetzt.

(4) Einige Partizipien sind zu echten Adjektiven geworden. Sie stehen wie Adjektive im Wörterbuch: *ausgezeichnet, geeignet* usw.

1. Ergänzen Sie das Partizip.

a) die _____ Woche (kommen)

b) die _____ Kosten (laufen)

c) das _____ Wasser (fließen)

d) der _____ Bus (halten)

e) der _____ Passant (verletzen)

f) das _____ Paar (sich verlieben)

g) die _____ Rechnungen (bezahlen)

h) die vor zehn Jahren _____ Häuser (bauen)

2. Ergänzen Sie die Endung.

a) in der kommend___ Woche

b) mit laufend___ Motor

c) mit wachsend___ Begeisterung

d) mit geeignet___ Geräten

e) auf verboten___ Wegen

f) auf einer gut besucht___ Messe

g) mit enttäuscht___ Gesicht

h) bei strömend___ Regen

i) in geheizt___ Räumen

j) mit frisch gewaschen___ Hemd

3. Markieren Sie die Adjektive oben. Bilden Sie Sätze mit Adjektivattributen.
Beispiel: Wir haben einen aufregenden und spannenden Film gesehen.

Übungen

4. *Ergänzen Sie das Partizip II.*

   a) Der Ober empfiehlt. – Wir nehmen das _____ Essen.
   b) Angenommen, du gewinnst. – Was machst du mit der
      _____ Million?
   c) Das Seil zerreißt. – Ein _____ Seil kann man nicht reparieren.
   d) Sie schließt das Fenster. – Sie schläft bei _____ Fenster.
   e) Der Dieb stiehlt das Fahrrad. – Er fährt mit dem _____
      Fahrrad davon.
   f) Sie verliert ihr Portmonee. – Sie bekommt das _____
      Portmonee zurück.
   g) Der Arzt verschreibt. – Der Patient kauft die _____ Tabletten.
   h) Die Firma importiert die Ware. – Die _____ Ware ist versichert.

5. *Ergänzen Sie das Partizip I.*

   a) Die Kinder spielen. – Achtung, _____ Kinder.
   b) Der Bus fährt schon. – Springen Sie nicht auf einen _____ Bus!
   c) Das Haus brannte. – Die Menschen hatten das _____
      Haus verlassen.
   d) Das Flugzeug startet. – Wir beobachten das _____ Flugzeug.
   e) Das Personal einer Fluglinie ist am Boden oder fliegt. – Es gibt Boden-
      personal und _____ Personal.
   f) Die Sonne strahlt. – Wir haben _____ Wetter.

6. *Ergänzen Sie.*

   a) Es gab zum Glück nur Leichtverletzt____.
   b) Der Film ist für Jugendlich____ empfohlen.
   c) Die Hälfte der Abgeordnet____ war anwesend.
   d) Habt ihr etwas Schön____ erlebt? – Nein, nichts Besonder____.
   e) Wir müssen den Auszubildend____ helfen.

7. *Ergänzen Sie das Adjektiv.*

   a) der Verletzte   die _____ Fahrgäste
   b) die Behinderte   das _____ Mädchen
   c) der Angeklagte   die _____ Männer
   d) der Gefangene   der _____ Räuber

8. *Suchen Sie das passende Partizip.*

a) Familienstand: Eva ist ledig. Frau Franz war _____, jetzt ist sie

_____.

b) Ein altes Spiel geht so: Sie zupfen die Blätter einer Blume. 1. Blatt:

_____, 2. Blatt _____, 3. Blatt _____ und

wieder von vorn _____, _____, _____.

Das letzte Blatt sagt Ihnen die Zukunft.

verheiratet   geschieden

verliebt   verlobt   verheiratet

9. *Wie geht es Ihnen? Setzen Sie das passende Partizip ein.*
Ergänzen Sie eine Erklärung.

a) Gut, ich bin …   wütend   völlig geschafft   verzweifelt

b) Schlecht, ich bin …   erholt   ausgeschlafen   gestresst   beleidigt

10. *Grammatik im Text – Redewendungen*

a) Sie waren Freunde, jetzt sind sie _____ Leute.

b) Es hat lange gedauert, aber dann war das Eis _____.

c) Er hat wieder einmal kein Geld, er ist völlig _____.

d) Ich habe wenig geschlafen, jetzt bin ich total kaputt, ich bin völlig

_____.

e) Was ist mit ihm los? Er spricht kaum und ist unfreundlich. Er ist so

_____.

geschiedene   abgebrannt   gerädert

gebrochen   kurz angebunden

Kennen Sie die Redewendung?
Mit einem lachenden und einem weinenden Auge

Beispiel:
Es ist Januar, das Wetter ist schön, aber es liegt nur wenig Schnee.
Der Schilehrer sagt mit einem lachenden und einem weinenden Auge:
Meine Schüler können sich sonnen, aber Schifahren lernen sie nicht.

Finden Sie andere Beispiele.

VIII. Pronomen

Gebrauch

Personen + Sachen	Nur Personen	Nur Sachen
Welcher, -e, -es Was für einer, -e, -s	Wer	Was
	jemand	etwas
meiner, -e, -s		

der, die, das
dieser, -e, -es
jener, -e, -es
derselbe, dieselbe,
    dasselbe
derjenige, diejenige,
    dasjenige		

einer, -e, -s keiner, -e, -s	niemand	nichts
beide		beides
jeder, -e, -es mancher, -e, -es	irgendjemand irgendwer	irgendetwas irgendwas
	man	
alle viele etliche einige mehrere wenige		alles, manches vieles etliches einiges mehreres weniges

Fragewörter oder
    Interrogativpronomen   → Nr. 118, 119
Possessivpronomen   → Nr. 121   → Possessivartikel, Nr. 89
Demonstrativpronomen   → Nr. 122–125   → Artikelwörter, Nr. 77–79
Personalpronomen   → Nr. 85
Reflexivpronomen   → Nr. 48, 50   → Reflexive Verben, Nr. 48
Unbestimmte Pronomen   → Nr. 128–135

Fragewörter oder Interrogativpronomen

Wichtige Fragewörter haben Sie schon in den ersten Deutschstunden gelernt.
(→ Syntax-Baustein 1, Nr. 9)

118 Wer? und Was?

Das Pronomen *Wer?* kann man deklinieren:

Nominativ	**Wer** ist am Apparat?
Akkusativ	**Wen** möchten Sie sprechen?
Dativ	Mit **wem** haben Sie gesprochen?
Genitiv	**Wessen** Telefonnummer ist das?

Nominativ	**Was** ist passiert?
Akkusativ	**Was** kann ich für Sie tun?
Dativ	–
Genitiv	–

Beim Fragepronomen kann eine Präposition stehen
(→ Verben mit Präpositionalergänzung, Nr. 183):

Mit wem haben Sie gesprochen? –
Mit Herrn Ampfinger. (*mit* + Dativ)
Über wen haben Sie gesprochen? –
Über niemand. (*über* + Akkusativ)

(1) Frage nach einer Person:
    Präposition + Pronomen

Wovon haben Sie gesprochen? –
Von den neuen Arbeitszeiten.
(umgangssprachlich auch: *Von was?*)
Worüber haben Sie gesprochen? –
Über die Arbeitszeiten.

(2) Frage nach einer Sache:
    Wo(r)- + Präposition

	maskulin	*feminin*	*neutral*	**Plural**
Nominativ	Welcher	Welche	Welches	Welche
	Was für einer	Was für eine	Was für eins	Was für welche
Akkusativ	Welchen	Welche	Welches	Welche
	Was für einen	Was für eine	Was für eins	Was für welche
Dativ	Mit welchem	Mit welcher	Mit welchem	Mit welchen
	Mit was für einem	Mit was für einer	Mit was für einem	Mit was für welchen
Genitiv	–	–	–	–

Was für einer, -e, -s haben keinen Plural. Man gebraucht *welche*.

Ich möchte Herrn Müller sprechen. – Es gibt bei uns zwei Müller. **Welchen** meinen Sie denn?

(1) *Welch-* fragt nach einer Person oder Sache.

Ich hätte gern die Telefonnummer von Herrn Haber. – **Welche** brauchen Sie denn? Die vom Büro oder die private?

Was für ein Mensch ist Günter eigentlich?

(2) *Was für ein-* fragt nach der Eigenschaft einer Person oder Sache.

Ich habe einen Job. – **Was für einen** denn? – Leider nur einen Zeitjob.

1. Fragen Sie.

a) Herr Bauer hat angerufen.
b) Er hat Büromaterial bestellt.
c) Er hat eine neue Telefonnummer.
d) Herrn Bauers Sekretärin kommt. (2 Fragen)
e) Sie hat mit Frau Niemetz gesprochen.
f) Sie hat einen Termin gemacht.

Übungen

2. **Fragen Sie.**

a) Ich habe heute Herrn Hunzinger getroffen.
b) Ich habe mich mit Herrn Hunzinger unterhalten.
c) Wir haben von Egon gesprochen.
d) Wir haben von Egons Sportgeschäft gesprochen.
e) Ich habe Erika von Herrn Hunzinger erzählt. (2 Fragen)
f) Ich habe ihr erzählt, dass Herr Hunzinger Sorgen hat.

3. **Fragen Sie** Welch- **oder** Was für ein-.

a) eine moderne Schweizer Uhr (Swatch) – Was für ein- Uhr? Ein- Swatch?
b) das oberste Stockwerk (mit Dachgarten)
c) die mittlere Tür (zum Garten)
d) eine Vase aus dem 17. Jahrhundert (aus Frankreich)
e) das Museum für moderne Kunst (in Köln)
f) eine Sonderschule (für Lernbehinderte)

4. **Ergänzen Sie.**

a) _____ wartest du? – Auf die Kinder.
b) _____ fahrt ihr? Mit dem Auto? – Nein, mit dem Zug.
c) _____ fahrt ihr nicht mit dem Auto? Das ist schneller! – ... aber
   weniger umweltfreundlich.
d) _____ werdet ihr unterwegs sein? – Ich schätze, sechs Stunden.
e) Wisst ihr, _____ ihr ankommt? (Zeit)
f) Mit _____ Zug fahrt ihr? Mit dem um zehn Uhr?
g) Mit _____ Zug fahrt ihr? Mit dem ICE?

5. **Rätsel**

a) Wer ist Theodor Fontane? (Maler, Dichter, Baumeister)
b) Wo lebte der alte Goethe? (Frankfurt, Rom, Weimar)
c) Was für eine Stadt ist Bremen? (Hauptstadt, Hafenstadt)
d) Was bedeutet „das Tüpfelchen auf dem i"?
e) Wie heißt das Gebirge im Süden Deutschlands?
f) Wie viele Meere gibt es in Deuschland? (2)

Indirekte Fragesätze

Indirekte Fragesätze haben die Bedeutung einer Frage. Es sind Nebensätze.
Das konjugierte Verb steht am Ende.

	Folgende Wörter leiten den Nebensatz ein:
Wer hat angerufen? Ich weiß nicht, **wer** angerufen hat.	(1) Fragepronomen
Was ist passiert? Niemand weiß, **was** passiert ist.	
Auf wen ist sie wütend? Ich weiß, **auf wen** sie wütend ist.	
Wann ruft er an? Er hat nicht gesagt, **wann** er anruft.	(2) Fragewörter (→ Nr. 118, 119)
Ruft er noch einmal an? – Ja. / Nein. Er hat nicht gesagt, **ob** er noch einmal anruft.	(3) *ob* (= *Ja / Nein*-Fragen ohne Fragewort)

6.   *Wo ist der Koffer? Ergänzen Sie das passende Fragewort.*

    a)   *Manuela weiß, wo der Koffer ist.*
    b)   _____ wir für die Reise brauchen.
    c)   _____ wir losfahren.
    d)   _____ die Tickets hat.
    e)   _____ wir benachrichtigen.
    f)   _____ der Schlüssel gehört.
    g)   _____ Schlüssel das ist.
    h)   _____ wir warten. (warten auf etwas)
    i)   _____ wir warten. (warten auf jemand)
    j)   _____ wir fahren. (mit dem Bus oder dem Taxi)
    k)   _____ wir fahren. (z. B. mit Erich oder Christine)

Übungen

l)   Fahren wir sofort?
     Manuela weiß nicht, _____ wir sofort fahren.
m) Holt Christoph uns ab?
     Manuela fragt ihn, _____ er uns abholt.

7.   Wiederholen Sie das Rätsel in Übung 5. Beginnen Sie so: „Weißt du, ...?"

8.   Markieren Sie das konjugierte Verb.

Ich fahre in Urlaub.
Ich möchte Urlaub machen.
Mein Kollege ist nach Holland gefahren.

Ich weiß noch nicht, wohin ich fahre.
Ich weiß nicht, wann ich Urlaub machen kann.
Ich weiß, dass mein Kollege nach Holland gefahren ist.

Im Nebensatz wandert das konjugierte Verb ans _____.
Das konjugierte Verb kann sein:
fahren   a)   *ein Vollverb*
kann   b)   ein _____
ist   c)   ein _____

121 ## Possessivpronomen
(→ auch Artikelwörter, Nr. 89)

Formen von *mein*- (= 1. Person Singular)

Singular	*maskulin*	*feminin*	*neutral*	**Plural**
N	meiner	meine	mein(e)s	meine
A	meinen	meine	mein(e)s	meine
D	meinem	meiner	meinem	meinen
G	–	–	–	–

Alle Personen im Nominativ

Personalpronomen	Possessivpronomen	Artikelwort
ich	meiner, -e, -s	mein, -e, -
du	deiner, -e, -s	dein, -e, -
er	seiner, -e, -s	sein, -e, -
sie	ihrer, -e, -s	ihr, -e, -
es	seiner, -e, -s	sein, -e, -
wir	uns(e)rer, -e, -	unser, -e, -
ihr	eurer, -e, -s	euer, eure, euer
sie	ihrer, -e, -s	ihr, -e, -

Formelle Anrede:

Sie	Ihrer, -e, -s	Ihr, -e, -

Ist das Ihre Telefonnummer?
Ja, das ist **meine**. (= meine Telefonnummer)

Wessen Lexikon ist das?
Das ist **meins**. (= mein Lexikon)

Wem gehört der Aktenkoffer?
Das ist **meiner**. (= mein Aktenkoffer)

Nur im Nominativ
maskulin und Nominativ
und Akkusativ neutral
sind Pronomen und
Artikelwort verschieden.

9. *Ergänzen Sie das passende Possessivpronomen.*

   a)   Ist das deine Zeitung? – Ja, das ist _____.
   b)   Ist das dein Kamm? – Ja, das ist _____.
   c)   Ist das dein Zimmer? – Ja, das ist _____.
   d)   Sind das deine Handschuhe? – Ja, das sind _____.
   e)   Ist das deine Tasche? – Ja, das ist _____.
   f)   Ist das dein Computer? – Ja, das ist _____.
   g)   Ist das Ihr Mantel? – Ja, das ist _____.
   h)   Sind das Ihre Schlüssel? – _____.
   i)   Ist das Manuelas Brille? – _____.
   j)   Sind das Karstens Schuhe? – _____.
   k)   Ist das euer Gepäck? – _____.
   l)   Ist das eure Zeitung? – _____.

10. *Am Badesee liegen viele Sachen. Jetzt müssen wir einpacken. – Ergänzen Sie das Possessivpronomen.*

a)	die Badehose	Erich, ist das _____?
b)	das Handtuch	Monika, ist das _____?
c)	die Uhr	Frau Ulrich, ist das _____?
d)	die Tasche	Peter, ist das _____?
e)	die Handtücher	Peter und Monika, sind das _____?
f)	das T-Shirt	Fritz, ist das _____?
g)	der Korb	Herr Paulsen, ist das _____?
h)	der Bademantel	Claudia, ist das _____?
i)	die Sonnenbrillen	Wolf und Isa, sind das _____?
j)	die Shorts (Pl.)	Kurt, sind das _____?

11. *Ergänzen Sie.*
Beispiel: der neue Computer – mein neuer Computer – Das ist meiner.

a) das alt___ Haus – unser alt___ Haus – Das ist _____.
b) der alt___ Kassettenrekorder – mein alt___ Kassettenrekorder.
   Das ist _____.
c) der neu___ Koffer – dein neu___ Koffer – Das ist _____.
d) das schwer___ Gepäck – euer schwer___ Gepäck – Das ist _____.
e) die schön___ Kamera – sein___ schön___ Kamera – Das ist _____.
f) der teur___ Kugelschreiber – ihr teur___ Kugelschreiber –
   Das ist _____.
g) der weiß___ Bademantel – mein weiß___ Bademantel – Das ist _____.
h) das gelb___ T-Shirt – sein gelb___ T-Shirt – Das ist _____.
i) die eng___ Jeans – ihre eng___ Jeans – Das sind _____.
j) die bequem___ Turnschuhe – unsere bequem___ Turnschuhe –
   Das sind _____.

12. *Schenkst du mir ein neues Fahrrad?*

a) Ich brauche ein neues Fahrrad. Mein___ hat keine Gangschaltung.
b) Ihr braucht eine neue Kamera. Eur___ ist schon zu alt.
c) Er braucht einen dicken Pullover. Sein___ ist zu dünn.
d) Du brauchst einen neuen Badeanzug. Dein___ ist nicht mehr schön.
e) Meine Eltern brauchen einen neuen Koffer. Ihr___ hat keine Räder.
f) Sie braucht einen neuen Reisewecker. Ihr___ hat sie verloren.

13. Grammatik im Text – Reisevorbereitungen

▪ Hast du deinen Ausweis?
▲ Na selbstverständlich. Den vergesse ich nie.
▪ Man soll nie „nie" sagen!

▲ Ist das euer Autoschlüssel?
▪ Ja, na klar, das ist unserer. Den habe ich schon gesucht.

▲ Gehört dir die Sonnenbrille?
▪ Nein, leider. Die sieht teuer aus. Meine ist lange nicht so schön.

▪ Wem gehört das Portmonee?
▲ Das ist meins. Gott sei Dank, es ist wieder da.

▲ Hier liegen T-Shirts. Sind das deine?
▪ Ja, das sind meine.
▲ Lass doch nicht immer deine Sachen überall rumliegen.

Wenn das Substantiv bekannt ist, wiederholt man es nicht. Dann steht das Pronomen.

Markieren Sie die Pronomen und das Substantiv mit dem Artikelwort.

Demonstrativpronomen
(→ auch Artikelwörter, Nr. 78)

der, die, das

122

Singular	*maskulin*	*feminin*	*neutral*	**Plural**
Nominativ	der	die	das	die
Akkusativ	den	die	das	die
Dativ	dem	der	dem	**denen**
Genitiv	dessen	deren	dessen	**deren, derer**

Das Demonstrativpronomen hat im Dativ Plural und im Genitiv andere Formen als der bestimmte Artikel.

Sie kennen doch Herrn Meier. **Dessen** Schwester arbeitet jetzt bei uns.

(1) Der bestimmte Artikel lautet *des*: *die Schwester des Herrn Meier.* (feminin: *der*)

Das ist die Meinung **derer**, die immer dagegen sind.

(2) *derer* weist auf einen Relativsatz hin.

Kennen Sie Herrn Miltenberger? – **Den** kenne ich sogar sehr gut.

(3) Das Demonstrativpronomen steht meistens am Anfang des Satzes.

Wie heißt die Firma? – **Die** heißt Eurotex.

(4) *die* weist auf das Substantiv *die Firma* im Satz davor.

Frau Müller? **Das** ist unsere neue Kollegin.

(5) *das* kann auf ein beliebiges Substantiv im Singular oder Plural oder auf einen Satz hinweisen.

Die Firma Wachtl & Co. gehört zur Meta-Gruppe. – Na, **das** ist doch bekannt!

123 **dieser, diese, dieses – jener, jene, jenes**
Die Formen finden Sie in Abschnitt 78.

Ich habe heute drei Bücher gekauft. **Dieses** habe ich für euch mitge-bracht.

(1) *dieser, -e, -es* ist intensiver als *der, die, das.*

Dies(es) sind unsere Ergebnisse.

(2) Eine Zusammenfassung

Wir haben **dieses und jenes** probiert, nichts hat funktioniert.

(3) Fester Ausdruck

derselbe, dieselbe, dasselbe

	maskulin	feminin	neutral	**Plural**
Nominativ	derselbe	dieselbe	dasselbe	dieselben
Akkusativ	denselben	dieselbe	dasselbe	dieselben
Dativ	demselben	derselben	demselben	denselben
Genitiv	(desselben)	(derselben)	(desselben)	(derselben)

Das Demonstrativpronomen besteht aus *der, die, das* + *selb-*. *selb-* wird wie ein Adjektiv dekliniert (Nr. 91–93).

▦   In welchem Raum treffen wir uns? In **demselben** wie gestern?
▲   Nein, in dem gleich nebenan. Der ist genauso groß.
▦   Aha, also der gleiche, nicht **derselbe**.

derselbe ist der identische Raum. *Der gleiche* ist ein Raum, der gleich ist, also genauso groß, mit dem gleichen Tisch und den gleichen Stühlen.

derjenige, diejenige, dasjenige

der, die, das wird wie der bestimmte Artikel dekliniert, *jenig-* wird wie ein Adjektiv dekliniert (Nr. 91–93).
Der folgende Relativsatz (→ Nr. 126) gibt die genaue Information.

Sind Sie **derjenige**, der noch kein Zimmer hat?
Das Arbeitsamt hilft **denjenigen**, die Arbeit suchen.

14. *Viele Beschwerden – Ergänzen Sie das Demonstrativpronomen.*

a)   unser Kopierer   _____ kopiert viel zu langsam.

b)   mein Schreibtisch   _____ ist viel zu klein.

c)   meine Schreibtischlampe   _____ ist nicht hell genug.

d)   mein Computer   _____ ist nicht leistungsfähig genug.

e)   unser Faxgerät   _____ ist viel zu alt.

f)   unsere Telefonanlage   _____ ist viel zu unmodern.

Übungen

15. **Wir suchen im Katalog. – Ergänzen Sie das Demonstrativpronomen.**

Schauen Sie mal,
a) ein schöner Schreibtisch! – _____ ist viel zu teuer.
b) ein moderner Bürostuhl! – Auf _____ kann ich nicht sitzen.
c) ein großer Computertisch! – Ja, _____ brauchen wir dringend.
d) billige Papierkörbe! – _____ sind nicht schöner als die alten.
e) einfache Locher! – Ja, _____ können wir gebrauchen.
f) breite Ordner! – Ja, von _____ brauchen wir zwanzig Stück.
g) eine tolle Schreibtischlampe! – _____ kenne ich. Mit
    _____ war ich nicht zufrieden.
h) ein praktisches Regal! – _____ ist schön. Von _____
    nehmen wir drei Stück.

16. **Ergänzen Sie.**

a) Das ist mein neuer Schreibtisch. – _____ ist aber schön!
b) Das ist unser neues Büro. – _____ ist aber modern!
c) Das ist meine neue Lampe. – _____ ist ja supermodern!
d) Das Bild gefällt mir. – Ach was, _____ ist viel zu bunt.
e) Der Bürostuhl gefällt mir. – Ach was, _____ ist viel zu
    unpraktisch.
f) Die Kunstblumen gefallen mir. – Ach was, _____ sehen doch
    unnatürlich aus.
g) Sie wollen modernisieren? – _____ ist nicht sicher.
    _____ werden wir sehen.
h) Wie findest du unsere neuen Sessel? – Ich glaube, unsere Kinder haben
    _____ . – Nein, sie haben nicht _____ , sie haben
    die _____ .
i) Jetzt hast du zweimal _____ erzählt.
j) Hans ist _____ , der im Haus alles repariert.

17. **Grammatik im Text**
    Markieren Sie die Demonstrativpronomen in Übung 13, Seite 147.
    Redewendungen – Ergänzen Sie.
    _____ ist ein heißes Eisen.
    _____ schlägt dem Fass den Boden aus.

Was bedeuten diese Wendungen?

Syntax-Baustein 12

Der Relativsatz

126

Der Relativsatz ist ein Nebensatz. Das konjugierte Verb steht also am Ende. Er wird durch ein Relativpronomen eingeleitet. Man dekliniert die Relativpronomen wie die Demonstrativpronomen *der, die, das.*

Relativsätze beziehen sich auf ein Substantiv oder Pronomen, das sie genauer erklären.

Nominativ

m Sg.	Wie heißt	**der** Mann, **der**	uns gerade begrüßt **hat?**
f		**die** Frau, **die**	
n		**das** Ehepaar, **das**	
Pl.	Wie heißen	**die** Leute, **die**	uns gerade begrüßt **haben?**

Akkusativ

m Sg.	Wie heißt	**der** Mann, **den**	wir gerade gesehen **haben?**
f		**die** Frau, **die**	
n		**das** Ehepaar, **das**	
Pl.	Wie heißen	**die** Leute, **die**	wir gerade gesehen **haben?**

Dativ

m Sg.	Wie heißt	**der** Mann, mit **dem**	du gesprochen **hast?**
f		**die** Frau, mit **der**	
n		**das** Ehepaar, mit **dem**	
Pl.	Wie heißen	**die** Leute, mit **denen**	du gesprochen **hast?**

Genitiv

m Sg.	Wie heißt	**der** Mann, **dessen** Firma	wir kennen gelernt **haben?**
f		**die** Frau, **deren** Firma	
n		**das** Ehepaar, **dessen** Firma	
Pl.	Wie heißen	**die** Leute, **deren** Firma	wir kennen gelernt **haben?**

(1) Das Substantiv im Hauptsatz bestimmt Genus und Zahl.
der Kollege, der
die Kollegen, die

(2) Das Relativpronomen ersetzt ein Substantiv oder Pronomen.
Dieses Substantiv oder Pronomen bestimmt den Kasus.

Nominativ:
Wie heißt der Mann?   **Er** hat uns gerade begrüßt.
Wie heißt der Mann,   **der** uns gerade begrüßt hat?

Akkusativ:
Wie heißt der Mann?   Wir haben **ihn** gerade gesehen.
Wie heißt der Mann,   **den** wir gerade gesehen haben?

Dativ:
Wie heißt der Mann?   Du hast gerade **mit ihm** gesprochen.
Wie heißt der Mann,   **mit dem** du gerade gesprochen hast?

Genitiv:
Wie heißt der Mann?   Wir haben die Lebensgeschichte **des** Mannes gehört.
Wie heißt der Mann,   **dessen** Lebensgeschichte wir gehört haben?

(3) Relativsätze mit Präposition + Relativpronomen (→ Nr. 186)

die Frau, **mit der** ich gesprochen habe	Personen: Präposition + Relativpronomen
etwas, **wofür** ich mich begeistern kann	Sachen: *wo(r)-* + Präposition

(4) *wo* bei Ortsangaben und Zeitangaben (ugs.)
in Berlin, **wo** ich jetzt arbeite (nicht: in dem)
die Stadt, **wo** (= in der) ich geboren bin
das Land, **wo** (= in dem) ich gern leben möchte
das Wochenende, **wo** (= an dem) wir nicht zu Hause waren

(5) Relativpronomen *was* nach *alles, viele, etwas, nichts, das* und Superlativen.
Das ist alles, **was** ich weiß.
Das ist etwas, **was** du nicht weißt.
Das ist das Beste, **was** du machen kannst.
Ist es das, **was** du gesucht hast?

(6) Relativpronomen *wer, was*
Wer raucht, (der) gefährdet seine Gesundheit.
Wer nicht kommt zur rechten Zeit, (der) muss nehmen, **was** übrig bleibt.

Lerntipp
Relativsätze erklären ein Substantiv oder Pronomen. Sie stehen meistens
gleich nach diesem Substantiv oder Pronomen, manchmal also auch in der
Mitte des Satzes:

Der Herr, **der dich gerade begrüßt hat,** ist mein Schwager.
Die Dame, **mit der du gesprochen hast,** ist eine alte Schulfreundin von mir.

18. *Umschreiben Sie.*

a) ein weinendes Baby   *ein Baby, das weint*
b) ein laufender Motor   _____
c) die aufgehende Sonne   _____
d) ein startendes Flugzeug   _____
e) ein gut gehendes Geschäft _____
f) die streikenden Arbeiter _____
g) steigende Preise   _____

19. *Umschreiben Sie.*

a) geheizte Räume   *Räume, die geheizt sind*
b) ein gelungenes Fest   _____
c) eine gut besuchte Ausstellung _____
d) frisch gewaschene Wäsche _____
e) verbotene Liebe   _____

20. *Definitionen – Bilden Sie Relativsätze, die den Begriff erklären.*
Beispiel: der Hausbesitzer: Ein Hausbesitzer ist jemand, der ein Haus besitzt.

a) die Büroangestellte   _____
b) der Reisewecker   _____
c) der Fahrradhändler   _____
d) der Hotelschlüssel   _____
e) die Reiseerlebnisse   _____
f) das Holzhäuschen   _____
g) das Anmeldeformular   _____

Unbestimmte Pronomen

128 **Gebrauch** → auch Artikelwörter Nr. 79, 80

mit Substantiv (= Artikelwort) und ohne Substantiv (= Pronomen)		ohne Substantiv	meist ohne Substantiv	
alle	(Studenten,	einer, -e, -s /	alles	(Neue)
viele	Bücher)	keiner, -e, -s	vieles	
etliche		irgendeiner, -e, -s	einiges	
einige		welcher, -e, -es	etliches	
mehrere		beides	beide	(die beiden
wenige		man		Freunde)
jeder, -e, -es	(Student,		jemand	(Berühmtes)
mancher, -e, -es	Studentin,		niemand	
	Buch)		irgendwer	(Fremdes)
			irgendjemand	
etwas / nichts	(Neues)		irgendwas	(Schönes)
viel / wenig			irgendetwas	

129 **einer – keiner**

Singular	*maskulin*	*feminin*	*neutral*	**Plural**
Nominativ	(k)ein**er**	(k)ein**e**	(k)ein(e)**s**	kein**e**, welch**e**
Akkusativ	(k)ein**en**	(k)ein**e**	(k)ein(e)**s**	kein**e**, welch**e**
Dativ	(k)ein**em**	(k)ein**er**	(k)ein**em**	kein**en**, welch**en**
Genitiv	–	–	–	–

einer, -e, -s haben keinen Plural. Man gebraucht *welche*.

Wir spielen. **Einer** fängt an.
Ich mische die Karten. **Eine** liegt auf dem Tisch.
Unentschieden! **Keiner** hat gewonnen!

Einer ist eine Person oder Sache aus mehreren. *Keiner* ist das Gegenteil.

Haben Sie Anrufe bekommen? –
Ja, **einen**.

(1) Das Pronomen übernimmt
die Deklinationsendungen.

Haben Sie eine Antwort bekommen? –
Nein, leider **keine**.

Haben wir noch Kaffee? – Da ist
noch **welcher**.
Ist auch Milch da? – Ja, da ist
noch **welche**.
Und Gebäck? – Ja, da ist **welches**.

(2) *welcher, -e, -es* steht auch für
Substantive, die ohne Artikel gebraucht werden.

mancher, -e, -es   130

Der Vortrag war langweilig.
Manche gingen schon nach zehn
Minuten nach Hause.

= *einige*

Sei nicht unzufrieden. **Mancher**
(*oder:* **manch einer**) wäre
froh.

man   131

Nominativ	man
Akkusativ	einen
Dativ	einem
Genitiv	–

man ist nur Nominativ. Für den Akkusativ und Dativ nimmt man die Formen
von *ein-* (→ Nr. 79).

Man fragt nicht so viel.
Man spricht nicht beim Essen.

(1) Moralische Regel

Der Lärm stört **einen** sehr.
Das gefällt **einem** nicht.

(2) Das gilt für alle.

alle

Plural

Nominativ	alle
Akkusativ	alle
Dativ	allen
Genitiv	aller

Auch:
wenige – einige – etliche – mehrere – viele

Alle waren für die Kandidatin.
Wir haben vorher mit **allen**
  diskutiert.

(1) Im Plural stehen die Pronomen
    für Personen.

Woher kommen diese **vielen** Leute?
Wie schafft er nur die **viele** Arbeit?

(2) *viel-* und *wenig-* stehen auch mit
    dem bestimmten Artikel oder
    nach Demonstrativ- und
    Possessivartikeln. Sie werden
    wie Adjektive dekliniert.

Singular

Nominativ	alles
Akkusativ	alles
Dativ	allem
Genitiv	–

Einige sind mit **allem** einverstanden.
Einiges ist aber falsch.
Vieles/etliches ist noch unklar.

(1) Im Singular stehen die Pronomen
    für Sachen. Ausnahme: *Alles aus-
    steigen!* betrifft eine anonyme
    Gruppe.

viel Geld / Platz / Zeit
wenig Geld / Platz / Zeit
Das **viele** Geld war weg.

(2) *viel* und *wenig* haben im Singular
    keine Endung, wenn kein Artikel-
    wort davor steht.

Jan braucht **mehr Geld**.
Er hat **mehr Bücher** mitgenommen,
  als er lesen kann.

mehr (Komparativ von *viel*) steht
vor Substantiven im Singular und
Plural.

Alles Gute! **Viel** Glück! **Viel** Spaß!

(3) Feste Ausdrücke

etwas – nichts

Brauchen Sie **etwas**?
Nein, im Moment **nichts**.

Gibt es **etwas** (= was) Neues?
Nein, **nichts** Neues.

Haben Sie **nichts** Moderneres?

(1) Mit substantiviertem Adjektiv
(oder Komparativ)
In der Umgangssprache sagt man
was.

Könnte ich **etwas** Zucker haben?
Könnten Sie **etwas** lauter sprechen?
Hier ist es **etwas** kalt.

(2) *etwas* bedeutet auch *ein bisschen /
ein wenig.*

jemand – niemand

Ist da **jemand**? – Es hat geklingelt.
Nein, da ist **niemand**.

Ich habe **niemand(en)** gesehen.
Ich habe mit **niemand(em)** gesprochen.

(1) Gebrauch häufig ohne Endung.

Jemand Neues sitzt in der Telefon-
zentrale.

(2) Manchmal mit substantiviertem
Adjektiv.

irgend-

irgendjemand
irgendeiner, irgendeine, irgendeins
irgendwer
irgendwelche
irgend(et)was

Die Vorsilbe *irgend-* bedeutet: *Es ist egal / man weiß nicht, wer / was ...*
Auch bei Fragepronomen: *irgendwann, irgendwo, irgendwohin, irgendwoher.*

21. Beim Einkaufen – Ergänzen Sie *ein- / welch-* **oder** *kein-*.

a) Wie gefällt dir die Kamera? Du suchst doch _____.
   Ich brauche _____.

b) Wie gefällt euch der Küchenschrank? Ihr sucht doch _____.
   Wir brauchen _____.

c) Wie gefallen euch die Stühle? Ihr sucht doch _____.
   Wir brauchen _____.

d) Wie gefällt dir der Geschirrspüler? Du suchst doch _____.
   Ich brauche _____.

e) Wie gefällt dir die Mikrowelle? Du suchst doch _____.
   Ich brauche _____.

f) Wie gefällt euch der Tisch? Ihr sucht doch _____.
   Wir brauchen _____.

g) Wie gefällt dir das Geschirr? Du suchst doch _____.
   Ich brauche _____.

h) Wie gefällt euch der Fernseher? Ihr sucht doch _____.
   Wir brauchen _____.

i) Wie gefällt Ihnen die Kaffeemaschine? Sie suchen doch _____.
   Ich brauche _____.

22. Was ist ein Workaholic?
Beispiel: Er denkt immer an die Arbeit. – Das ist jemand, der immer
an die Arbeit denkt.

a) Er arbeitet auch abends und am Wochenende.
b) Er macht keine Pause nach der Büroarbeit.
c) Seine Gedanken kreisen immer um die Arbeit.
d) Er vergisst seine Freundin.
e) Er mag keine Feste.
f) Für ihn ist Freizeit ein Fremdwort.
g) In der Freizeit hat er Schuldgefühle.
h) Er braucht den Stress.
i) Er kann nichts liegen lassen.
j) Er braucht für alles länger als andere.

Und Sie? Was sind Sie für ein Typ?

a) Ich bin auch jemand, der ...
b) Ich bin niemand, der ...

23. Ergänzen Sie das passende Pronomen.

a) _____ , der als Letzter geht, muss das Licht ausmachen.
b) _____ verlässt den Raum! Wo ist …?
c) _____ ist hier eigentlich los?
d) _____ stimmt hier nicht.
e) _____ in Ordnung! Keine Panik!
f) _____ passiert.

24. Erkennen Sie das unbestimmte Pronomen?

Das macht einem nichts.
Das freut einen.
Das kann einem egal sein.

a) Der Nominativ lautet: _____
b) Dieses unbestimmte Pronomen bezeichnet etwas   ▒ Allgemeines
                                                    ▒ Bestimmtes
c) Wiederholen Sie die Sätze mit „mir" und „mich".

25. Korrigieren Sie die Fehler.

1. Herr Schuster hat schon drei Mal in Augsburg angerufen. Sie möchte Herrn Oertl sprechen. **2.** Kein ist ans Telefon gegangen. **3.** Er hat auch ihre Privatnummer. **4.** Den ruft er dann an. **5.** Auch dort geht jemand ans Telefon. **6.** Es ist immer derselbe. **7.** Wieder etwas. **8.** Herr Schuster ist verzweifelt. Welcher Tag! **9.** Da kommt ihm eine Idee. In Bayern ist bestimmt wieder eine Feiertag. **10.** Mehrere sind auf dem Weg in die Berge und an die Seen.

Die richtigen Wörter: *er, ein, alle, nichts, keiner, seine, die, niemand, dasselbe, was für ein.*

26. Grammatik im Text

Telefon, Telefon …
▒ Mein Name ist Mader. Darf ich Sie etwas fragen?
▲ Ja bitte, worum geht es?
▒ Ich möchte jemand sprechen, der für die Pressearbeit zuständig ist.
▲ Das bin ich.

■ Sehr schön. Unsere Zeitschrift e + a möchte gern eine Anzeige für Ihr Produkt Sonnenschein abdrucken ...

▲ Entschuldigung, von welcher Firma sind Sie eigentlich und von was für einer Zeitschrift sprechen Sie überhaupt?

■ Entschuldigung, natürlich. Ich bin von der Firma Mediareport und ...

▲ Entschuldigung, dass ich Sie unterbreche. Schicken Sie doch bitte ein Fax mit allen Informationen zu meinen Händen. Das ist für Sie und für mich am einfachsten.

■ Ja, aber ...

Zwei Kollegen

■ Ich habe schon drei Mal in Augsburg bei der Firma Digital angerufen. Es geht niemand ans Telefon. Ich unterhalte mich immer mit dem Anrufbeantworter.

▲ Tja, wen brauchen Sie denn?

■ Den Programmierer, Herrn Oertl.

▲ Vielleicht arbeitet er zu Hause. Hier ist seine Privatnummer. Versuchen Sie die mal. Das ist Telefon und Fax.

■ Was ist denn bloß los? Da läuft auch der Anrufbeantworter: ... zur Zeit nicht besetzt ... morgen ...

▲ Wahrscheinlich ist in Bayern wieder so ein Feiertag und alle sind auf dem Weg in die Berge.

■ Richtig! Volltreffer! Heute ist Fronleichnam, Feiertag in allen katholischen Bundesländern.

Suchen Sie alle Pronomen (Fragepronomen, Demonstrativpronomen, unbestimmte Pronomen, Reflexivpronomen).

IX. Präpositionen

Präpositionen haben verschiedene Funktionen im Satz.

1. Sie sind Teil einer lokalen, temporalen, modalen oder kausalen Angabe.
Sie stehen mit dem Akkusativ (→ Nr. 137), Dativ (→ Nr. 138), Genitiv
(→ Nr. 139) oder dem Gleichsetzungskasus (→ Nr. 140). Als Wechselpräposi-
tionen stehen sie mit Akkusativ oder Dativ (→ Nr. 141).
Im Sommer fahren viele Leute **wegen des gesunden Klimas an die Nordsee.**
Man geht stundenlang **zu Fuß am Wasser entlang.**
Viele machen Kuren **aus Gesundheitsgründen**.

2. Sie gehören zu einem Verb (→ Nr. 183), Substantiv oder Adjektiv und haben
einen bestimmten Kasus:
sich interessieren für + Akkusativ
Interessieren Sie sich für das Angebot?

interessiert sein an + Dativ
Ich bin an dem Angebot sehr interessiert.

Interesse haben an + Dativ
Ich habe großes Interesse an dem Angebot.

3. Präpositionen, die zu Verben gehören, stehen auch vor dem Relativpronomen (Nr. 178):
Das ist eine Reise, **für die** ich mich sehr interessiere.

4. Sie sind Teil von Fragepronomen:
Für wen interessierst du dich?
Wofür interessierst du dich?

5. Präpositionen sind Vorsilben von trennbaren Verben:
an/kommen
Wir kamen um 10 an.
ab/fahren
Um 11 sind wir wieder abgefahren.

6. Präpositionen sind Teil eines festen Ausdrucks:
Zum Glück sind wir bald da.
Wir sind **auf gut Glück** losgefahren. (= ohne Plan)

Präpositionen mit dem Akkusativ

Es gibt Präpositionen, die immer mit dem Akkusativ stehen:
bis, durch, entlang, für, gegen, ohne, um

bis.(ohne Artikelwort, meist + Präposition)

Der Zug fährt bis Hamburg.	(1) lokal
Der Bus fährt bis vors Haus / bis zum Hotel.	Frage: Bis wohin?
Von München bis Hamburg sind 780 Kilometer.	
Das Ticket gilt bis Juni / bis zum 31. Juni.	(2) temporal
	Frage: Bis wann?
Er war bis in die Nacht (= Akk.) unterwegs.	(3) *bis* mit einer zweiten Präposition. Die zweite
Das Ticket gilt bis zum 31. Juni. (= Dat.)	Präposition bestimmt den Kasus.
Der Sturm erreichte bis zu 150 Kilometer pro Stunde.	

durch

durch Europa fahren	lokal
durch die Stadt fahren	

entlang

den Fluss entlang	lokal (nachgestellt)
	Frage: Wo?

für

für einen Monat (= einen Monat lang)	(1) temporal
für Jahre (= viele Jahre lang)	Frage: Für wie lange?
für heute Abend	Frage: Für wann?
ein Geschenk für dich	(2) Frage: Für wen?
Wir sind für Reformen.	(3) Frage: Wofür / Für was?

gegen

gegen einen Baum fahren	(1) lokal – Frage: Wogegen?
gegen Abend / 8 Uhr (= ungefähr ...)	(2) temporal
gegen Ende des Jahrtausends	Frage: Wann?

das Fußballspiel gegen Barcelona   (3) Frage: Gegen wen?
Viele sind gegen das Rauchen. (→ *für*)   (4) Frage: Wogegen / Gegen was?

ohne (oft ohne Artikel)
ohne (meine) Familie ↔   modal
  mit (meiner) Familie   Frage: Wie?
ohne Auto ↔ mit Auto

um
um das Haus (herum)   (1) lokal
Die Erde kreist um die Sonne.   Frage: Wo?
um 3 Uhr   (2) temporal
um die Jahrhundertwende   Frage: Wann?
  (= ungefähr um ...)
Aber auf die Frage: Wie spät ist es?
  Es ist 12 Uhr.

Präpositionen mit dem Dativ   138

Es gibt Präpositionen, die immer mit dem Dativ stehen:
ab, aus, außer, bei, gegenüber, mit, nach, seit, von, zu

ab (meist ohne Artikelwort)
ab München   (1) lokal
                                          Frage: Ab wo?

ab morgen, ab 17 Uhr   (2) temporal
ab 18 Jahren (z. B. Wahlalter)   Frage: Ab wann?
ab DM 100,– (Die Pullover kosten ...)   (3) andere Bedeutungen
                                          Frage: Wie viel?

aus
aus der Schule kommen   (1) lokal – Frage: Woher?
  (↔ in die Schule gehen)
aus Dänemark, aus Lüneburg   (2) Herkunft: lokal
                                          Frage: Woher?

aus Ärger / Mitleid / Frust	(3) kausal Frage: Warum?
aus Wolle (Stoff aus ...)	(4) Frage: Woraus?

außer

niemand außer uns (= nur wir)

bei

Fürth bei Nürnberg (= in der Nähe von)
bei uns / bei Onkel Friedrich /
    bei unserer Schwester / bei den
    Großeltern wohnen
	(1) lokal
	Frage: Wo?

bei Siemens / Ford arbeiten	(2) Arbeitsplatz Frage: Wo?
bei Nebel, bei dichtem Nebel beim Essen, bei der Arbeit	(3) temporal – Frage: Wann? = *während*

gegenüber

gegenüber der Kirche (auch nachgestellt: der Kirche gegenüber) direkt mir gegenüber	(1) lokal Frage: Wo?
gegenüber früher	(2) Gegensatz

mit

Ich komme mit meinem Mann / meiner Frau.	(1) modal – Frage: Mit wem?
mit dem Auto / mit der Bahn / mit dem Bus fahren	Frage: Wie?
Tee mit Zitrone ein Zimmer mit Bad mit Absicht / Interesse	(2) oft ohne Artikel

nach

nach Italien / nach Dresden fahren (*aber:* in die Schweiz) nach Hause gehen (↔ zu Hause sein)	(1) Städte, Länder, Kontinente ohne Artikel Frage: Wohin?

nach dem Essen	(2) temporal
10 nach 2 (↔ 10 vor 2)	Frage: Wann?
nach Vorschrift arbeiten	(3) modal
meiner Meinung nach	Frage: Wie?

seit

seit einer Woche	temporal
seit Jahren	Frage: Seit wann?

von

Von unserer Wohnung (aus)	(1) lokal – Frage: Von wo aus?
sehen wir die Alpen.	
von Hamburg bis Kiel	Frage: Von wo bis wo?
die Tickets vom Reisebüro holen	Frage: Wo?
Ich komme von der Arbeit.	Frage: Woher?
von 10 bis 12 (Uhr)	(2) temporal
vom 2. Januar ab (ab 2. Januar)	Frage: Wann?
vom 1. November an	
(→ auch *von* beim Passiv, Nr. 165)	
(→ auch *von* statt Genitiv, Nr. 72)	

zu

zum Bahnhof / zur Haltestelle gehen	(1) lokal – Frage: Wohin?
zu Ostern / Pfingsten / Weihnachten	(2) temporal: bei kirchlichen
	Feiertagen (ohne Artikel)
	Frage: Wann?
zur Zeit der Französischen Revolution	*zur Zeit* + Genitiv
	Frage: Wann?
zum Geburtstag / zur Hochzeit	Feste
	Frage: Wann?
bis zum Schluss	zwei Präpositionen
	Frage: Bis wann?
Es steht 3 : 0. (= 3 zu 0)	(3) Frage: Wie?
zu Hause sein (↔ nach Hause gehen)	(4) Wendungen
zu Besuch kommen	
zu Fuß gehen	
zu Mittag / Abend essen	
zu Hilfe kommen	
zu Ende sein	

Präpositionen mit dem Genitiv

Es gibt Präpositionen, die mit dem Genitiv stehen (selten mit dem Dativ):
außerhalb, innerhalb, statt, trotz, während, wegen

außerhalb – innerhalb

außerhalb / innerhalb der Stadt	(1) lokal Frage: Wo?

innerhalb eines Tages
innerhalb einer Stunde
aber: innerhalb von
    zwei / drei ... Stunden
    (= Dat.)
	(2) temporal
	Frage: Wann?

statt
Statt des Koffers nahm er zwei Taschen.
(umgangssprachlich auch: *Statt dem Koffer* = Dativ)

trotz
Trotz des Staus war er pünktlich.
(umgangssprachlich auch: *Trotz dem Stau* = Dativ)

während

während des Fluges	temporal Frage: Wann?

wegen

Wegen des Staus verpasste er
   das Flugzeug.
(umgangssprachlich auch: *Wegen dem
   Stau* = Dativ)
	kausal
	Frage: Warum?

Präposition mit dem Kasus des Bezugswortes

(Gleichsetzungskasus)

als

als Kind / als Erwachsener / Erwachsene

Er (= Nom.) arbeitet als Lehrer (= Nom.).

Sie (= Nom.) arbeitet als Lehrerin (= Nom.).

Jeder kennt ihn (= Akk.) als einen ehrlichen Menschen (= Akk.).

1. *Wo liegt denn Entenhausen?*

    a) In der Nähe _____ Dipfelfingen.
    b) Dipfelfingen liegt _____ Holzkirchen.
    c) Das ist zehn Kilometer südlich _____ München.
    d) _____ Holzkirchen _____ Dipfelfingen
        geht eine Landstraße.
    e) _____ Entenhausen sind es noch drei Kilometer.
    f) Das ist ein schöner Ausflug _____ _____ Fahrrad.

2. *Woher kommt ihr? – Ergänzen Sie aus oder von (+ Artikel).*

    a) _____ Sportplatz.
    b) _____ Baden.
    c) _____ _____ Schule.
    d) _____ _____ Kino.
    e) _____ Frau Müller.
    f) _____ _____ Arbeit.
    g) _____ _____ Fabrik.
    h) _____ _____ Wasser.

    Wohin geht ihr? – Ergänzen Sie zu + Dat. oder in + Akk.
    Merke: in meist Gegensatz zu aus.

3. *Wie reisen Sie am liebsten? Gebrauchen Sie mit.*

    a) _____ ein___ bequemen Reisebus.
    b) _____ d___ eigen___ Auto.
    c) _____ d___ Deutschen Bahn.

d) _____ d__ schnellst___ Verkehrsmittel.
   _____ d__ Flugzeug.
e) _____ d__ Fahrrad.
f) _____ d__ Schiff.

4. Wie kommt man denn da hin?
Ergänzen Sie ab, durch, in, mit, zu **und den Artikel.**

a) Nehmen Sie zuerst den Zug _____ Hauptbahnhof.
b) Fahren Sie _____ Richtung Holzkirchen.
c) Steigen Sie _____ Holzkirchen um.
d) Fahren Sie _____ _____ Bus.
e) Dann kommen Sie _____ Dipfelfingen.
f) Gehen Sie am besten die letzten zwei Kilometer _____ Fuß.

5. mit **oder** ohne

a) Wir fahren mit _____ Kindern. / … ohne _____ Kinder.
b) Wir verreisen mit groß___ Gepäck. / … ohne groß___ Gepäck.
c) Ich fahre mit _____ Familie. / … ohne _____ Familie.
d) Ich komme mit mein___ Hund. / … ohne mein___ Hund.
e) Ich komme mit mein___ Freundin. / … ohne mein___ Freundin.
f) Ihr fahrt doch mit eur___ Campingbus? / … ohne eur___ Campingbus?

6. Fahr doch mit! Ergänzen Sie: um, die, nach, an die, zur, zum, zu den, in die.

a) bis _____ _____ Innenstadt
b) bis _____ Bahnhof
c) bis _____ Haltestelle
d) bis _____ _____ Nordsee (2 Möglichkeiten)
e) bis _____ _____ Alpen
f) bis _____ Australien
g) durch _____ Amerika
h) einmal _____ _____ Welt
i) _____ Mond
j) _____ _____ Sternen

7. Ergänzen Sie.

a) _____ _____ Haus (Woher?)
b) _____ Metzger (Wohin?)
c) _____ _____ Schiff (Womit?)
d) _____ den Großeltern (Wohin?)
e) _____ _____ Schweiz (Woher?)
f) _____ Kärnten in Österreich (Wohin?)
g) _____ Gärtnerplatz (Wohin?)
h) _____ _____ Salzburger Straße (Wohin?)
i) _____ _____ Bad (Woher?)
j) _____ _____ Volkshochschule (Wohin?)   (2 Möglichkeiten)

8. Rätsel

Die Uhr ist sehr groß. Sie ist direkt über dem Eingang. Die Besucher kommen mit dem Taxi oder mit der U-Bahn. Manchmal kommen sie auch mit dem Auto und stellen es in die Garage. Dort bleibt es oft viele Tage. Die Leute haben es eilig. Sie rennen in das Gebäude, stehen Schlange vor den Schaltern und rennen dann weiter. Manche gehen hier auch spazieren. Sie gehen in die Geschäfte oder stehen an den Kiosken. Viele essen ein Brötchen oder eine Wurst. Sie fühlen sich wohl in dem Lärm und zwischen den vielen Leuten.

Was für ein Gebäude ist das?
Markieren Sie alle Präpositionen. Unterstreichen Sie die darauf folgenden Wörter.

Wechselpräpositionen

Wechselpräpositionen sind Präpositionen mit Akkusativ oder Dativ.
Sie haben eine lokale Bedeutung:
an, auf, hinter, in, neben, über, unter, vor, zwischen

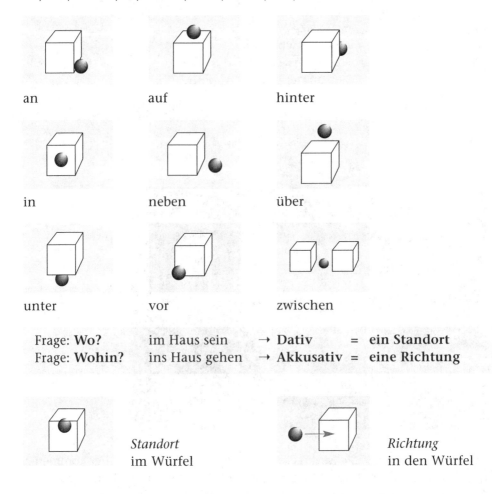

an	auf	hinter
in	neben	über
unter	vor	zwischen

Frage: **Wo?**   im Haus sein → **Dativ**   = **ein Standort**
Frage: **Wohin?** ins Haus gehen → **Akkusativ** = **eine Richtung**

Standort
im Würfel

Richtung
in den Würfel

an
Frage: **Wo?**
Ich stehe / sitze / bin ...
am Meer, am Strand, am Ufer,
   an der Küste, an der Donau / Isar,
   am Bahnhof, an der Haltestelle,
   am Computer, am Fenster

= in unmittelbarer Nähe
an dem = am

Frage: **Wohin?**
Ich fahre / gehe ...
ans Meer, an den Strand, ans Ufer,   *an das = ans*
   an die Küste, an die Donau,
   an den Computer, ans Fenster
(*aber:* zum Bahnhof, zur Haltestelle)

auf
Frage: **Wo?**
auf der Zugspitze (= Berg) sein   etwas ist höher
auf dem Fernsehturm sein
auf dem Dach, auf der Leiter stehen
auf der Treppe stehen

auf dem Feld, auf der Wiese sein   etwas ist eben und offen
auf den Kanarischen Inseln

auf dem Rathausplatz

auf der Straße (*aber:* in der Bahnhofstraße) stehen
auf der Autobahn fahren
auf der Erde leben

Standort *auf*

Frage: **Wohin?**
auf die Zugspitze fahren   etwas ist höher
auf den Fernsehturm gehen
aufs Dach, auf die Leiter steigen   *auf das = aufs*

aufs Feld, auf die Wiese gehen   etwas ist eben und offen
auf die Kanarischen Inseln fahren

auf den Rathausplatz gehen

auf die Straße (in die Bahnhofstraße)
   gehen
auf die Autobahn fahren
auf die Erde schauen

Richtung *aufs*

hinter
Frage: **Wo?**
Der Junge sitzt hinter dem Baum.   *hinter + dem = hinterm (ugs.)*

Frage: **Wohin?**
Der Junge rennt hinters Haus.   *hinter + das = hinters (ugs.)*

in
Frage: **Wo?**   Räume
im Haus, im Wohnzimmer, im Bad   *in + dem = im*
(*aber:* auf der Toilette),
   im Schrank, im Regal, im Büro,
   im Ministerium, in der Schule

im Wasser, in der Luft, im Regen,   etwas ist um uns herum
   im Wald, im Tal, im Garten

im Schwarzwald, in der Eifel,   Gebirge, Landschaften
   in den Alpen, im Allgäu, in Bayern

in Wasserburg, in Spanien,   Orte, Länder, Erdteile
   in Europa, in der Antarktis

Er wohnt in der Berliner Straße.   Straßen
aber: auf der Straße gehen /
   spielen / sein
   Die Kinder spielen auf der Straße,
   nicht im Haus.
   Wir fahren auf der Landstraße und
   auch auf der Autobahn.

Frage: **Wohin?**   Räume
ins Haus, ins Wohnzimmer, ins Bad   *in + das = ins*
(*aber:* auf die Toilette)
ins Kino, ins Museum, ins Restaurant
   in den Schrank, ins Regal
   ins Büro, ins Ministerium,
   in die Schule

ins Wasser, in den Regen, in die Luft,   etwas ist um uns herum
   in den Wald, ins Tal, in den Garten

in den Schwarzwald, in die Eifel,   Landschaften, Länder,
   in die Alpen   Erdteile mit Artikel
ins Rheinland
in die Schweiz, in die USA
in die Antarktis

in – nach, zu

Wo?	**Wohin?**	
in Wasserburg,	**nach** Wasserburg,	Orte, Länder, Erdteile
in Bayern,	**nach** Bayern,	ohne Artikel
in Spanien,	**nach** Spanien,	
in Europa	**nach** Europa	
im Norden,	**nach** Norden,	Himmelsrichtungen
im Süden	**nach** Süden	
in der Kirche	**in die / zur** Kirche	Gebäude
in der Schule	**in die / zur** Schule	
	in = in das Gebäude	
	hinein	
	zu = in Richtung	
	des Gebäudes	
im Rathaus	**ins / zum** Rathaus	
in / auf der Post / Bank	**in die / zur** Post / Bank	
im Supermarkt	**in den / zum** Supermarkt	

Tipps & Tricks
Unterscheiden Sie:
Ich gehe **zur Post / zur Bank.**   = Ich will einen Brief hinbringen,
                                  Geld holen usw.

Auch:
Ich gehe **auf die Post / auf die Bank.**

Ich gehe **in die Post / in die Bank.**   = Ich gehe in das Gebäude hinein.

neben
Frage: **Wo?**
Sie sitzt neben mir.
Die Post ist neben dem Bahnhof.

Frage: **Wohin?**
Sie setzt sich neben mich.   *sitzen, sich setzen* → Nr. 143

über
Frage: **Wo?**
Die Lampe hängt über dem Esstisch.

Frage: **Wohin?**
Wir haben die Lampe über den
    Esstisch gehängt.   *hängen* → Nr. 143

unter
Frage: **Wo?**
Der Hund sitzt unter dem Tisch.

Frage: **Wohin?**
Der Hund setzt sich unter den Tisch.   *sitzen, sich setzen* → Nr. 143

vor
Frage: **Wo?**
Die Blumen stehen nicht vor dem Fenster.

Frage: **Wohin?**   *vor + das = vors*
Stell die Blumen vors Fenster.   *stehen, stellen* → Nr. 143

zwischen
Frage: **Wo?**
Fritz steht zwischen seinen Cousins.

Frage: **Wohin?**
Stell dich zwischen deine Freundin   *stehen, (sich) stellen* → Nr. 143
    und den Vater. Ich fotografiere euch.

Tipps & Tricks

Frage: *Wo?* oder *Wohin?* Dativ oder Akkusativ?

Schauen Sie sich das Verb im Satz an. Dann erkennen Sie leichter, ob eine Ortsergänzung (Frage: *Wo?* → Dativ) oder eine Richtungsergänzung (Frage: *Wohin?* → Akkusativ) folgt.

Ortsergänzung (= Dat.)

Er	wohnt / ist / bleibt		**in** Berlin / **bei seiner** Schwester.
Er	steht		**vor der** Tür.
Sie	lässt	die Tasche (= Akk.)	**im** Bus.

Richtungsergänzung (= Akk.)

Er	fährt		**nach** Berlin / **in die** Schweiz.
Er	geht / läuft / rennt / kommt		**nach** Hause.
Sie	fliegt		**in den** Süden.
Er	bringt	die Kinder	**in den** Kindergarten.
Er	lädt	die Koffer	**ins** Auto.
Sie	schickt	ihn	**auf die** Post.
Er	trägt	das Gepäck	**ins** Zimmer.
Er	wirft	den Schlüssel	**in die** Tasche.

stehen – stellen; sitzen – (sich) setzen; liegen – (sich) legen; hängen

Die Verben *stehen, sitzen* … mit Ortsergänzung sind stark.
Die Verben *stellen, setzen* … mit Richtungsergänzung sind schwach.

Ortsergänzung

Die Teller **stehen** auf dem Tisch.
Die Tante **sitzt** auf der Couch.
Die Katze **liegt** auf dem Teppich.
Der Mantel **hängt** an der Garderobe.

Starke Verben

stehen, stand, hat gestanden
sitzen, saß, hat gesessen
liegen, lag, hat gelegen
hängen, hing, hat gehangen

Richtungsergänzung (= Akk.)

Stell die Teller auf den Tisch.
Setz dich auf die Couch.
Leg dich auf die Couch.
Häng den Mantel an die Garderobe.

Schwache Verben

stellen, stellte, hat gestellt
(sich) setzen, setzte, hat gesetzt
(sich) legen, legte, hat gelegt
hängen, hängte, hat gehängt

> **Tipps & Tricks**
>
> Heißt es ——————➤ Die Teller **liegen** auf dem Tisch.
> oder ——————➤ Die Teller **stehen** auf dem Tisch?
> Im Deutschen <u>stehen</u> sie.
>
> Die Butter liegt im Kühlschrank, wenn sie noch verpackt ist, sie steht im
> Kühlschrank, wenn Sie sie in die Butterdose gelegt haben.

144 Nichtlokale Bedeutungen

Bei nichtlokaler Bedeutung haben die Wechselpräpositionen einen
festen Kasus:

an, in, neben, unter, vor, zwischen	+ Dativ
auf, über	+ Akkusativ

an

am Wochenende   (1) temporal
an einem Freitag   Frage: Wann?

auf

Weihnachten fällt dieses Jahr auf   (1) temporal
   einen Dienstag.   Frage: Wann?
von Sonnabend auf Sonntag
auf jeden Fall   (2) Wendungen
auf der Fahrt in die Alpen
auf Deutsch
auf Urlaub gehen

in

im Jahr 2000   (1) temporal: Jahreszahl
im Frühling, im Sommer   Jahreszeiten
in einer Woche, in 14 Tagen   Frage: Wann? In welcher Zeit?
100 Kilometer in der Stunde   (2) Geschwindigkeit

über

Ich warte schon über eine Stunde.
    (= länger als eine Stunde)
Er bleibt über die Feiertage.

(1) temporal: Zeitdauer
    Frage: Wie lange?

unter

Er lief eine Rekordzeit unter
    10 Sekunden.
    (= weniger als 10 Sekunden)
Das kostet unter 100 Mark.
    (= weniger als 100 Mark)
    (↔ über 100 Mark = mehr als)
Leute unter 30 (↔ über 30) Jahren

(1) Frage: Wie schnell, wie viel?

(2) Frage: Wie alt?

vor

vor drei Wochen, vor drei Jahren
    (↔ in drei Wochen, in drei Jahren)
vor dem 8. Oktober
    (↔ nach dem 8. Oktober)
Es ist 5 vor 12.
    (↔ nach 12)
vor Ärger / Angst / Freude /
    Wut / Schmerzen

(1) temporal
    Frage: Wann?

    Frage: Wie spät ist es?

(2) ohne Artikel
    Ursache: seelische Empfindungen

zwischen

zwischen 2 und 3 Uhr
    (= später als 2 und früher als 3)
zwischen 2 und 3 Stunden
    (= mehr als 2 und weniger als
    3 Stunden)
zwischen 50 und 100 Mark
    (= mehr als 50 und weniger
    als 100 Mark)
sich entscheiden zwischen Extremen
Verhandlungen zwischen Arbeitgebern
    und Arbeitnehmern

(1) temporal: Frage: Wann?

    Zeitdauer: Frage: Wie lange?

(2) ohne Artikel
    Frage: Wie viel?

(3) andere Bedeutungen

9. Wo ist Ulli? – Ergänzen Sie.

a) _____ _____ Garage   h) _____ Bad
b) _____ _____ Terrasse   i) _____ _____ Dusche
c) _____ Keller   j) _____ _____ Küche
d) _____ _____ Dach   k) _____ Wohnzimmer
e) _____ Garten   l) _____ _____ Toilette
f) _____ _____ Treppe   m) _____ _____ Badewanne
g) _____ Hof

10. Wo sitzt du am liebsten?

a) _____ Sessel   d) _____ Ofen
b) _____ _____ Couch   e) _____ _____ Heizung
c) _____ _____ Stuhl   f) _____ _____ Bank

**11. Hallo, ich rufe mit meinem Handy an. – Wo bist du denn? –
Ergänzen Sie *auf, in* oder *bei*.**

a) _____ _____ Sparkasse / Bank.
b) _____ _____ Post.
c) _____ den Eltern.
d) _____ _____ Autobahn.
e) _____ Restaurant.
f) _____ Zug.
g) _____ meinem Freund.
h) _____ Claudia.

Merke: Bei Personen sagt man _____.

12. Wohin willst du? – Ergänzen Sie *in* oder *nach*.

a) _____ Hause.
b) _____ _____ Süden.
c) _____ Polen.
d) _____ _____ Tschechische Republik.
e) _____ Asien.
f) _____ _____ Vereinigten Staaten / _____ _____ USA.

13. *Woher? – Wo? – Wohin?*

Woher kommst du jetzt?	Wo bist du?	Wohin willst du?
aus / von	*auf, bei, in*	*zu, in*

a) _____ Supermarkt.	_____ Supermarkt.	_____ Supermarkt.
b) _____ Bank.	_____ Bank.	_____ Bank.
c) _____ Arzt.	_____ Arzt.	_____ Arzt.
d) _____ Büro.	_____ Büro.	_____ Büro.
e) _____ Baden.	_____ Baden.	_____ Baden.
f) _____ Schwimmbad.	_____ Schwimmbad.	_____ Schwimmbad.
g) _____ meiner Schwester.	_____ meiner Schwester.	_____ meiner Schwester.
h) _____ Karlsplatz.	_____ Karlsplatz.	_____ Karlsplatz.

Vergessen Sie nicht den Artikel: *aus dem / der; von dem (vom) / der; auf dem / der, bei dem (beim) / der, in dem (im) / der; zu dem (zum) / der (zur), in den / der / ins* Oft gibt es zwei Möglichkeiten.

14. *Ein Ferientag*

a) Wir stehen nicht _____ 9 Uhr auf.
b) Dann frühstücken wir _____ 10.
c) Danach fahren wir _____ ein___ See
    oder _____ d___ Stadt zum Einkaufen
    oder steigen _____ ein___ Berg
    oder rennen _____ _____ Wald
    oder fahren _____ Freunden
    oder bleiben _____ Hause.

15. *Können Sie mir sagen, wie ich zum Aussichtsturm komme?*
hinter der, an, auf, über, vom – bis zu, um, durch, bis zum, zur

a) Gehen Sie zuerst geradeaus bis _____ Kirche.
b) Dann _____ die Kirche herum. _____ _____ Kirche ist die Verdistraße.
c) Die Verdistraße gehen Sie geradeaus _____ _____ Alpenplatz.
d) _____ Alpenplatz _____ _____ der kleinen Brücke ist es nicht weit.
e) Gehen Sie _____ die Brücke.
f) _____ der großen Schule vorbei.

g) Dann sehen Sie den Aussichtsturm _____ einem kleinen Berg.

h) Gehen Sie _____ den Wald den Berg hoch _____ _____ Aussichtsturm.

    ▧ Hoffentlich kann ich das alles behalten!

    ▲ Ich erklär' es Ihnen kurz noch einmal: Sie müssen …

16. Wo ist denn …?

a) Butter und Wurst sind _____ Kühlschrank.

b) Fertiggerichte sind _____ _____ Tiefkühltruhe.

c) Handtücher habe ich _____ Bad gehängt.

d) Getränke findest du _____ Keller.

e) Die Bettwäsche liegt auf _____ Bett.

f) Die Fahrräder stehen hinter _____ Haus.
Auf Wiedersehen, wir fahren jetzt los.

17. Warum?

a) Warum stellst du das Fahrrad nicht in _____ Keller?
Es steht doch schon _____ Keller. – Ach so, entschuldige!

b) Warum räumst du das Geschirr nicht in _____ Schrank?
Es steht doch schon _____ Schrank.

c) Warum setzt du dich nicht bequem auf _____ Couch?
Ich sitze lieber auf _____ Stuhl.

d) Warum hängst du den Mantel nicht an _____ Garderobe?
Der hängt doch an _____ Garderobe.

e) Warum stellst du die Schuhe nicht vor _____ Tür?
Die stehen doch vor _____ Tür. Hast du die nicht gesehen?

f) Warum legst du dich nicht in _____ Liegestuhl?
Ich habe doch zwei Stunden _____ Liegestuhl gelegen.

18. in oder im? an oder am? um oder zu / zum / zur?

a) _____ Jahr 2000

b) _____ einer Stunde

c) _____ Mitternacht

d) _____ einem Sonntag

e) _____ Wochenende

f) _____ der nächsten Woche

g) _____ Frühling

h) _____ frühen Morgen

i) _____ Ostern   k) _____ Zeit Napoleons

j) _____ 14 Tagen

19. Ich finde nichts. *Wo ist denn ...*

a) meine Brille? – Die liegt _____ _____ Tisch.

b) mein Handy? – Das ist _____ dein___ Aktentasche.

c) die Zeitung? – Die liegt _____ _____ Couch.

d) der Korkenzieher? – Der liegt _____ _____ zweiten Schublade.

e) der Bohrer? – Der ist _____ Keller.

Bitte, räum auf!

f) Das Werkzeug gehört _____ Regal.

g) Die Zeitungen gehören _____ _____ Papierkorb.

h) Die schmutzige Tischdecke gehört _____ _____ Wäsche.

i) Das kaputte Glas gehört _____ _____ Mülleimer.

j) Der Abfall gehört _____ _____ verschiedenen Abfalltonnen.

20. Diese Redewendungen kommen in der Umgangssprache sehr oft vor.
Ergänzen Sie die Präpositionen.

a) Er lacht _____ vollem Hals.

b) Er kriecht _____ allen Vieren.

c) Er spricht _____ vollem Mund.

d) Er träumt _____ offenen Augen.

e) Er fällt _____ der Rolle.

f) Er kommt gleich _____ die Reihe.

Erfinden Sie Situationen, in denen man die Redewendung gebraucht.

21. 6 Mal *das* **Herz**

Was bedeutet ...?

a) etwas nicht _____ Herz bringen
   (Mitleid haben) Wir konnten das Tier nicht ins Tierheim bringen.
   Wir haben es nicht _____ Herz gebracht.

b) jemanden _____ Herz schließen
   (gern haben, mögen)

c) etwas _____ _____ Herzen haben
   (Sorgen oder Wünsche haben)

d) sich etwas _____ Herzen nehmen
   (einen Rat annehmen)

e) das Herz _____ _____ rechten Fleck haben
   (ein guter, hilfsbereiter Mensch sein)

f) jemandem etwas _____ Herz legen
   (jemand dringend um etwas bitten)

Finden Sie Beispiele für b)–f).

22. *Sammeln Sie alle Präpositionen mit lokaler Bedeutung. Sie finden sie in den Abschnitten 137–141.*

    Ordnen Sie die Präpositionen in die folgende Liste:

Woher kommst du? (Herkunft)	Wo bist du? (Ort)	Wohin gehst du? (Richtung)

    Notieren Sie kurze Beispiele.

23. *Sammeln Sie alle Präpositionen mit temporaler Bedeutung. Sie finden sie in den Abschnitten 137–141.*

    Ordnen Sie die Präpositionen in die folgende Liste:

Wann? Für wann? (Zeitpunkt: Datum, Uhrzeit ...)	Wie lange? Bis / seit wann? Von wann bis wann? (Zeitdauer)

24. *Grammatik im Text – Reiseangebote*

    a) *Lesen Sie noch einmal Übung 8, Seite 169. Markieren Sie die Wechselpräpositionen.*

b) *Unterstreichen Sie die Präpositionen in den folgenden Sätzen.*
Welche Wörter gehören zusammen?

> *Exklusiv für die Leser des Münchner Morgenblatts*
>
> ## Zauberhafte Bernsteinküste
> **Weiße Sandstrände, einsame Wälder und**
> **roter Backstein**
> Auf dem schnellsten Weg an die Ostsee mit
> Augsburg Airways im eigens für Sie gecharterten
> Flugzeug mit max. 37 Passagieren.

Notieren Sie:

1) _____   5) _____
2) _____   6) _____
3) _____   7) _____
4) _____

c) *Ungarische Impressionen*

> ## Eine Reise durch das Land der Magyaren
> *– Für die Leser des Münchner Morgenblatts*
>
> Das kleine Land der Magyaren hat viele Gesichter. Dank seiner
> Geschichte findet man in Ungarn neben barocken Kirchen und
> Schlössern auch Moscheen und Minarette aus türkischer Zeit,
> neben Ziehbrunnen und Csardas die Prachtbauten der k. u. k.-Zeit.
> Das weltstädtische Flair und die Eleganz der Metropole Budapest
> bilden einen starken Kontrast zu der Weite der Puszta mit ihren ver-
> streuten Gasthöfen. Dagegen fühlt man sich am Plattensee direkt
> in eine mediterrane Landschaft versetzt. Auch die kulinarische und
> musikalische Seite des Magyaren-
> landes kommen auf dieser Reise
> selbstverständlich nicht zu kurz.
>
>
>
> **8 Tage**   Ü / HP in guten
> **18. – 25. Mai**   Hotels in
> Fahrt im Salonbus   Budapest, Eger,
>   Debrecen,
> *Besichtigungen*   Szeged, Sopron.
> *Reiseleitung*

Unterstreichen Sie die Präpositionen und die dazugehörenden Wörter.

d)   *Aus dem Reiseführer – Von Garmisch-Partenkirchen auf die Zugspitze*

Abfahrt vom Bahnhof Garmisch mit der Bahn (stündlich, Fahrzeit circa eine Stunde). Die Bahn fährt durch das Dorf Grainau, am Eibsee entlang zum Schneefernerhaus in 2650 m Höhe. Von dort geht eine Seilbahn auf den 2963 m hohen Gipfel. Sie können aber auch mit dem Auto zum Eibsee fahren und dort in die Seilbahn einsteigen (tägl. 8–17 Uhr, halbstündlich). Bei gutem Wetter bietet sich von Deutschlands höchstem Berg ein großartiger Rundblick. Von Einsamkeit in der Natur kann natürlich keine Rede sein. Die Zugspitze ist für Hunderte von Touristen ein attraktives Ziel. Bis zum Gipfelkreuz gibt es Gasthäuser, Seilbahnen, Funk- und Fernmeldeanlagen und meteorologische Stationen.

Unterstreichen Sie die Präpositionen und die dazugehörenden Wörter,
z. B.: ... vom Bahnhof Garmisch.

X. Adverbien und Partikeln

1. Adverbien und Partikeln haben keine Endung.

2. Adverbien können im Satz an erster Stelle stehen. Sie sind damit betont:
Er hat **manchmal** Recht. – **Manchmal** hat er Recht.
Partikeln stehen nicht an erster Stelle und sind unbetont:
Du hast **ja** Recht.

3. Adverbiale Adjektive kann man steigern:
Bergsteiger leben **gefährlich**.
Wer lebt **gefährlicher**?
Rennfahrer leben **am gefährlichsten**.

Lokaladverbien

Frage: **Wo?**	Frage: **Wohin?** (Richtung)	Frage: **Woher?** (Richtung)
hier, da, dort	hierhin, dahin, dorthin	hierher
drinnen, draußen	nach drinnen/draußen	von drinnen/draußen
unten, mitten, oben	nach unten/oben	von unten/oben
links, rechts	nach links/rechts	von links/rechts
vorn, hinten	nach vorn/hinten	von vorn/hinten
überall	überallhin	von überallher
irgendwo	irgendwohin	von irgendwoher
nirgends/nirgendwo	nirgendwohin	nirgendwoher
zu Hause	nach Hause, heim	von zu Hause
	abwärts, aufwärts vorwärts, rückwärts	

Wo gehst du **hin**? (= Wohin)   *hin* = Bewegung vom Sprecher weg
Komm mal **her**!   *her* = Bewegung zum Sprecher

In der Umgangssprache sagt man *raus (= heraus, hinaus), rein (= herein, hinein). rauf (= herauf, hinauf).*

Temporaladverbien

Vergangenheit – Gegenwart

Vergangenheit ————————————————————▶ *Gegenwart*

damals	kürzlich	gerade	heute
früher	vor kurzem	soeben	jetzt
ehemals	neulich	eben	
(ein)mal	gestern	bereits	
jemals	vorgestern	vorhin	
	vorher		

Gegenwart – Zukunft

————————————————————▶ *Zukunft*

gleich	bald	zukünftig
sofort	morgen	(ein)mal
	übermorgen	
	später	
	nachher	
	hinterher	

Verhältnis zu einem anderen Zeitpunkt

zuerst, erst	–	dann			
vorher	–	nachher, hinterher			
bisher	–	da, danach	–	schließlich	
seitdem	–	inzwischen	–	zuletzt	
		unterdessen			

Häufigkeit und Wiederholung

Frage: **Wie oft?**

↓ nie, niemals	↓ manchmal,	↓ oft, häufig	↓ immer
fast nie, kaum	ab und zu	meistens, meist	immer wieder
▼ selten	▼ öfters	▼ fast immer	▼

```
täg
wöchent      ⟶  lich                    Endung -lich
monat
jähr
```

montags, dienstags, mittwochs   Endung -s
(= jeden Montag, Dienstag, Mittwoch)
morgens, mittags, abends
(= jeden Morgen, Mittag, Abend)

Augenblick und Dauer

früh   ↔   spät
erst   ↔   schon
lange
monatelang
jahrelang
noch

Modaladverbien

Frage: **Wie?**
Die Party verlief turbulent.   (1) = adverbiales Adjektiv
(= Die turbulente Party ...)

Wir feiern gern.   (2) = Qualität
Wir feiern lieber im Lokal.   *(gern – lieber – am liebsten)*
Wir feiern am liebsten zu Hause.

Wir müssen leider nach Hause.   *leider,*
Sie ist ebenso/genauso lustig wie er.   *ebenso, genauso*
Nein, sie ist anders.   *anders*
Löse das Problem irgendwie.   *irgendwie*
Er wartet umsonst/vergeblich.   *umsonst, vergeblich*

Er ist sehr / ganz / besonders / so stolz
  auf die gute Prüfung.
Er hat sogar eine Auszeichnung
  bekommen.
Die hat er auch verdient.
Er hat es doch (= betont) geschafft.
  (Niemand hat es geglaubt.)
Er hat vor allem Glück gehabt.

Sie war ziemlich müde.
Fast / Beinahe wäre sie eingeschlafen.
Sie konnte kaum antworten.
Sie hat wenigstens zwölf Stunden
  geschlafen.
Sonst schläft sie höchstens acht.
Zwölf sind wohl etwas zu viel.

Er kommt bestimmt / sicher.
  (= Ich weiß es.)
Wahrscheinlich kommt er morgen.
  (= Ich vermute es.)
Vielleicht kommt er morgen.
  (= Ich bin nicht sicher.)

Du hast dich gar nicht gemeldet.
Das ist überhaupt nicht wahr.
Wir haben umsonst angerufen.
Wir haben mindestens dreimal
  angerufen.

(3) Verstärkung:
sehr, ganz
besonders, so
sogar

auch, bestimmt
doch

vor allem

Abschwächung:
ziemlich
fast, beinahe
kaum
wenigstens

höchstens
etwas

(4) Gewissheit / Ungewissheit:
bestimmt, sicher
wahrscheinlich

vielleicht

(5) Verneinung:
gar nicht
überhaupt nicht
umsonst
mindestens

Lerntipp

Vergleichen Sie: Ich mag Nachspeisen. Ich esse am liebsten Eis.
                    Ich mag Nachspeisen. Am liebsten esse ich Eis.

Vermeiden Sie gleiche Strukturen: Ich mag ... – Ich esse ... .
Adverbien stehen in Position I und in der Satzmitte.

Syntax-Baustein 13

Satzstellung der Angaben

Die Angaben haben meistens die Reihenfolge

te-ka-mo-lo (**te**mporal - **ka**usal - **mo**dal - **lo**kal)
      wann?   warum?   wie?   wo?

Wir haben   *heute*   *deswegen* *dreimal* *bei euch angerufen.*
(Wir wollten hören, wie es unserer Mutter geht.)

Übungen

1. Formen Sie um nach dem Beispiel.

a) Mir geht es gut.   – Du siehst auch gut aus!
b) Ich bin erholt.   – Du siehst auch erholt aus!
c) Ich bin ausgeschlafen.   – _____
d) Ich bin nicht müde.   – _____
e) Ich fühle mich topfit.   – _____
f) Gestern war ich gestresst. – Du hast auch _____
g) Ich war nervös.   – Du hast _____
h) Ich war schlecht gelaunt. – _____

2. Ulli hat Fahrstunde

*nach, rückwärts, vorwärts, rechts, links, von rechts, von überall her, rauf,
runter, mitten, nach vorn*

a) Heute ist er _____ in eine Parklücke gefahren.
b) _____ ist es einfacher. Das kann er schon.
c) Es ist zuerst den Berg _____ gefahren, dann wieder
_____. Am Berg hat er gestoppt.
d) Er ist zuerst r _____ eingebogen, dann l _____.
e) _____ auf der Kreuzung hat er den Motor abgewürgt.
f) _____ r _____ ist nämlich ein Auto gekommen.
g) Er hat _____ _____ geschaut und das Auto
nicht gesehen.

h)   Plötzlich kamen _____ viele Autos und es gab ein
     großes Chaos.
i)   Trotzdem ist er bald mit dem Führerschein _____ Hause
     gekommen.

3.   *Setzen Sie das passende Adverb ein.*

     a)   Hast du _____ gedacht, dass wir noch _____
          _____ kommen?
          (hierher, jemals, einmal)
     b)   Wir haben _____ mit dem alten Herrn gesprochen. Er hat
          erzählt, dass er _____ zur See gefahren ist.
          (früher, neulich)
     c)   Ich habe _____ keine Zeit. Kannst du _____ noch
          _____ vorbeikommen?
          Kein Problem. Ich komme _____ gegen drei.
          (dann, jetzt, später, einmal)
     d)   Du bist _____ zu Hause und zum Essen kommst du
          _____ zu spät.
          Ich bin abends _____ weg, das stimmt. Am Nachmittag bin
          ich aber _____ da und mache Schulaufgaben.
          (immer, nie, oft, fast immer)
     e)   Wir essen _____ und _____ gibt's einen Pudding.
          Ich muss aber _____ weg!
          (nachher, jetzt, gleich)
     f)   Ich wasche _____ ab. Du kannst _____ mit Christine
          spielen.
          (inzwischen, jetzt)

4.   **Welches Adverb passt auch?**

     a)   Ich komme gleich.
     b)   Wir waren neulich bei Neumanns. (2)   kaum   gerade
     c)   Heike hat soeben angerufen. (2)   später   vor kurzem
     d)   Habt ihr nachher noch etwas Zeit?   danach   eben
     e)   Was machen wir nachher? (2)   sofort   kürzlich
     f)   Fritz ruft fast nie an.   hinterher

5. *Ergänzen Sie das passende Adverb.*

a) (Es klingelt.) Bitte, kommen Sie doch ...

raus
hinein
rein

b) Karla ist gerade ... im Keller.

runter
unten
oben

c) Der Verkehr von ... hat Vorfahrt.

links
rechts
hinten

d) Tut mir Leid, ich muss jetzt ... Hause.

nach
zu
von

e) Wir sind eingeladen. Gehst du ...?

her
hin
wohin

f) Ralph hat ... seinen Führerschein gemacht.

bereits
vorhin
vor kurzem

g) Zuerst kam er ..., dann immer seltener.

oft
meistens
immer

h) Du musst die Tropfen ... nehmen.

morgens
gerade
lange

i) Es ist schon ... spät.

höchstens
ziemlich
wirklich

j) Das Ja-Wort – Setzen Sie ein: *danach, dann, zuletzt, schließlich, zuerst.*

... wollte er nicht, ... hat er überlegt, ... hat er noch gezögert,
... war er fast dafür und ... hat er ja gesagt.

6. *Ergänzen Sie das Adverb.*

a) Thomas ist zu spät gekommen. Er hat den Bus verpasst. (wahrscheinlich)
b) Kerstin ist fertig. Sie hat die Prüfung gemacht. (vor kurzem)
c) Möchtest du ein Stück Kuchen? – Danke, ich habe gegessen. (gerade)
d) Siehst du, er hat Recht. (doch)
e) Wo ist denn das Lexikon? Es hat hier auf dem Tisch gelegen. (gestern)
f) Sie war ruhig. Sie taute auf. (zuerst, dann)

7. Grammatik im Text

a) Der Blumenstrauß

Paul und Christoph sitzen im Café. Vor ihnen steht ein Blumenstrauß.

■ Sind die eigentlich künstlich?

▲ Natürlich.

■ Du meinst, die sind natürlich?

▲ Quatsch! Natürlich nicht.

■ Was heißt „natürlich nicht"? Sind sie nun künstlich oder natürlich?

▲ Natürlich künstlich, was denn sonst?

Übersetzen Sie den Text in Ihre Muttersprache.

b) Verkehrsampeln in Deutschland

Nirgendwo in der Welt gibt es so viele Verkehrsampeln wie in Deutschland. Manchmal sind es sogar sechs Ampeln auf 500 Meter.

Verkehrsexperten halten sie aber trotz Staugefahr wegen der hohen Verkehrsdichte für notwendig. Ein Versuch der Versicherungen ergab, dass bei abgeschalteten Ampeln die Unfallzahlen auf das Drei- bis Achtfache steigen.

In der Bundesrepublik sind etwa 50 000 Kreuzungen mit Ampeln geregelt. Der Kauf einer Anlage kostet rund 100 000 Mark. Wartung und Strom kosten jährlich bis zu 30 000 Mark.

Markieren Sie Wörter, die zusammengehören. Dann ist der Text nicht mehr schwer, zum Beispiel: nirgendwo in der Welt – gibt es – so viele Ampeln wie in Deutschland.

Bauen Sie dann den Satz. Fangen Sie mit dem Verb an.
Beispiel:
gibt
es gibt
Nirgendwo in der Welt gibt es
Nirgendwo in der Welt gibt es so viele Ampeln wie in Deutschland.

Adverbien als Konjunktionen

Adverbien stehen in der Mitte des Satzes.
Als Konjunktionen verbinden sie zwei Hauptsätze. Sie stehen in Position I,
d. h. das Verb folgt direkt (→ Konjunktionen in Position 0, Nr. 157) oder in
einer Position nach dem Verb.

I	II	I	II
Petra	möchte ein Motorrad.	Sie	macht den Führerschein.
Petra	möchte ein Motorrad;	**deshalb**	macht sie den Führerschein.
		Sie	macht **deshalb** den Führerschein.

also	Sie möchte ein Motorrad; also muss sie den Führerschein machen.
außerdem	Sie macht eine Lehre; außerdem jobbt sie.
dadurch	Sie jobbt; dadurch hat sie etwas Geld.
dann	Dann möchte sie das Motorrad kaufen.
danach	Danach möchte sie eine eigene Wohnung mieten.
darum / daher	Darum / Daher arbeitet sie fleißig.
deshalb / deswegen	Deshalb / Deswegen hat sie wenig Zeit.
gleichzeitig	Gleichzeitig hat sie natürlich einen Freund.
inzwischen	Der ist inzwischen schon sauer.
jedenfalls	Jedenfalls hat sie immer etwas vor.
jedoch	Er gibt jedoch nicht auf.
nämlich	Es ist nämlich noch nicht aller Tage Abend. (*nämlich* immer nachgestellt.)
schließlich	Schließlich hat er viel Geduld.
sonst	Sonst wäre er schon verzweifelt.
trotzdem	Trotzdem will er mit ihr reden.
vorher – nachher	Vorher will er sich alles genau überlegen, nachher ist es vielleicht zu spät.
zuerst – zuletzt	Zuerst möchte er sie einladen, zuletzt wird dann alles o. k. sein.

8. *Ergänzen Sie: nämlich, gleichzeitig, dadurch, trotzdem, danach, deshalb*

a) Frauke möchte Lehrlinge ausbilden. – Sie macht _____ eine Fortbildung.

b) Florian möchte nicht studieren. – Er macht _____ das Abitur.

c) Er geht noch zur Schule. – Er hilft _____ im Betrieb seines Vaters.

d) Er macht die Prüfung. – Er macht _____ den Zivildienst.

e) Frauke darf ausbilden. – Sie ist _____ schon viele Jahre in der Firma.

f) Sie arbeitet oft mit Jugendlichen. – Sie hat _____ viel Erfahrung.

9. *Setzen Sie in Übung 8 die Adverbien in Position I.*

Satz _____ kann man nicht umformen.

151 # Partikeln und Interjektionen

Partikeln sind eine Gruppe von etwa 40 Wörtern, die man nicht deklinieren, nicht konjugieren und auch nicht komparieren kann.

152 ## Modalpartikeln und ihre Bedeutung

doch, ruhig, schon, nur, mal
Sag doch was!
Mach ruhig weiter!
Geh schon!
Frag nur!
Komm mal her!

(1) Sie fordern jemand auf und möchten Ihrer Aussage mehr Nachdruck geben.
(Meist mit dem Imperativ. Die Modalpartikel machen ihn „weicher".)

bloß, ja, nur
Mach bloß keinen Ärger!
Mach das ja / nur nicht!

(2) Sie warnen oder drohen.

aber, allerdings, denn, ja, vielleicht
Das ist aber neu!
Hat er denn Geld?
Das ist ja die Höhe!
Das ist vielleicht ein Ärger!
Das ist allerdings richtig.

Aber **ja**!

eben, einfach, ja
Er hat eben kein Glück.
Das ist einfach schade.
Sie wollte ja nicht.

denn, eigentlich, etwa, überhaupt
Können Sie denn segeln?
Sind Sie eigentlich verheiratet?
Sind Sie etwa Pilot?
Was machen Sie überhaupt?
(*Achtung:* Diese Fragen sind etwas
    aggressiv oder indiskret.)

bloß, denn, eigentlich, nur,
überhaupt
Was ist denn / bloß / eigentlich /
    nur / überhaupt los?

schon, wohl
Es wird schon klappen!
Was ist los mit dir? Du hast wohl
    schon wieder Ärger.

bloß, doch, nur
Hätte ich bloß nichts gesagt!
Wär' ich doch / nur zu Hause
    geblieben!

also, nun
Was machen wir also / nun?
Das bedeutet / heißt also …
Also wirklich! Jetzt ist Schluss.

(3) Sie staunen oder ärgern sich.

(4) Sie betonen etwas.

(5) Sie nehmen die Dinge,
    wie sie sind.

(6) Sie fragen erstaunt oder
    neugierig.

(7) Fragen klingen mit Partikeln im
    Allgemeinen natürlicher.
    W-Fragen (Warum? Wo? Was?
    usw.) haben meistens *denn*.

(8) Sie wünschen oder vermuten
    etwas.

(9) Sie wünschen etwas, aber es ist
    zu spät. (mit Konjunktiv II)

(10) Sie beenden etwas oder fassen
    zusammen.

(11) Sie sind gefühlsmäßig engagiert.

153   Einige Modalpartikeln sind auch Adjektiv, Adverb oder Konjunktion.

aber	Ich gehe, aber ich komme gleich wieder.	Konjunktion
	Heute ist es aber kalt!	Partikel
denn	Er kam zu spät, denn er hatte eine Panne.	Konjunktion
	Wo bist du denn?	Partikel
einfach	Das ist einfach, nicht schwer.	Adjektiv
	Ruf einfach an!	Partikel
schon	Wir essen schon und du bist nicht da.	Adverb
	Komm schon, beeil dich!	Partikel
vielleicht	Wir kommen vielleicht, sicher ist das aber nicht.	Adverb
	Du hast vielleicht Nerven!	Partikel
wohl	Sie fühlen sich wohl hier.	Adverb
	Du bist wohl müde, was?	Partikel

Die Negationspartikel (→ Nr. 56–58).

Modalpartikeln stehen nicht am Satzanfang. Dialogpartikeln stehen am Satzanfang. Oft sind sie ein ganzer Satz mit Punkt am Ende: *Ja. Jawohl.*

	Nach einer positiven Frage.
Sind Sie müde?	– Ja. / Ja, sehr.
	Nein. / Nein, überhaupt nicht.
	Nach einer negativen Frage.
Sind Sie nicht müde?	– Doch. / Doch, sehr sogar.
	Nein. / Nein, gar nicht.

154   Zu den Dialogpartikeln gehören auch Interjektionen:

Aha, Aja	Ich habe verstanden.	**Bravo**	Gut gemacht.
Oh	Ich bin überrascht.	**Toll**	Ich bin begeistert.
Psst	Bitte Ruhe!	**Spitze**	
Iii	Ich ekle mich.	**Super**	
Igitt igitt	Das mag ich nicht.	**Klasse**	
Ach was, ph	Das macht nichts.	**Nanu**	Wie ist das möglich?
Aua	Das tut weh.	**Na ja**	Ich bin nicht begeistert.
Toi, toi, toi	Ich wünsche alles Gute.	**Hm**	Ich bin skeptisch.
Ätsch	Das hast du nun davon. (Schadenfreude)	**Tja**	Das ist nicht zu ändern.
		Na gut	Ich bin einverstanden.
(Sehr) schön	Ich stimme zu.		

Es gibt natürlich noch viele Modewörter, die dauernd wechseln.

1. *Bitte* kann *Ja, Danke* kann *Nein* bedeuten:

▲ Möchten Sie noch etwas Kaffee? ▪ Danke. (= Nein, danke.)
  ▪ Bitte. (= Ja, bitte.)

Oft gibt es hier Missverständnisse. Intonation und Gesten bringen Klarheit.

2. B*itte* ist die Antwort auf *Danke:*
▲ Möchten Sie noch Kaffee?
▪ Ja, noch einen Schluck. Danke.
▲ Bitte.

3. B*itte* ist eine wirkliche Bitte:
▲ Bitte, kann ich noch einen Kaffee haben? – Ja, natürlich.
  (Oder: Kann ich bitte noch einen Kaffee haben?
  Oder: Kann ich noch einen Kaffee haben, bitte?)

Wenn die Bitte erfüllt ist:
▲ Danke.

10. *Haben Sie Mut. Benutzen Sie die Partikeln. Dann wird man Ihnen sagen:*
    Sie sprechen aber gut Deutsch.
    Wiederholen Sie die Frage mit denn. *Sie klingt dann natürlicher.*

    a) Beeil dich! – Warum? Wie spät ist es?
    b) Florian hat gerade den Führerschein gemacht. – Ach, ist er schon
        achtzehn?
    c) Er spricht Bairisch. – Kommt er aus Bayern?
    d) Du hast nie Zeit. – Das stimmt nicht. Was willst du?
    e) Kommst du mit ins Kino? – Ja, was gibt es?
    f) Komm schnell! – Was ist passiert?

Übungen

11. *Geben Sie Ihrer Antwort mehr Nachdruck. Benutzen Sie* doch.

    a)   Wie heißt der Rennfahrer? – Das ist der Schumacher.
    b)   Wir gehen jetzt essen. Kommen Sie mit!
    c)   Kommst du auch? – Nein, ich habe kein Auto. – Nimm den Bus!
    d)   Hier ist der Bahnhof auch nicht. – Frag mal den Mann da!
    e)   Melanie ist faul. – Das ist nicht wahr.
    f)   Ich habe deinen Geburtstag vergessen. – Das macht nichts.

12. *Sie sind erstaunt oder Sie geben nach. Benutzen Sie die Partikel* ja.

    a)   Ich habe 100 Leute eingeladen. – Du hast Nerven!
    b)   Ich habe im Lotto gewonnen. – Das ist fantastisch.
    c)   Ich möchte nach Japan. – Du hast gar kein Geld.
    d)   Das Essen wird kalt. – Ich komme schon.
    e)   Du hast Recht.

13. *Welche Wörter fehlen? Ergänzen Sie* etwa, ja, mal, doch, denn, also.

    ▲   Kennen Sie Vorurteile?
    ▨   Und ob! Sie _____ nicht?
    ▲   Klar. Geben Sie _____ ein Beispiel.
    ▨   Es heißt, das meiste Bier kommt aus München.
    ▲   Das ist _____ richtig, oder _____ nicht?
    ▨   Nein, das meiste Bier kommt aus Dortmund, nicht aus München.
         Die Dortmunder produzieren circa 6 Millionen Hektoliter im Jahr,
         die Münchner aber nur 5,5 Millionen. Die Hauptstadt des Biers liegt
         _____ in Nordrhein-Westfalen.
         Zweites Vorurteil: Stierkampf ist eine spanische Erfindung.
    ▲   Aber das stimmt _____.
    ▨   Falsch. Stierkampf ist keine spanische Erfindung. Schon die
         Römer und sogar die Chinesen haben Stierkämpfe veranstaltet.
    ▲   Aha. Sie sind _____ ein Spezialist!
    ▨   Drittes Vorurteil: Blitz und Donner gehören zusammen.
    ▲   _____ nicht?
    ▨   Nein, die meisten Blitze, circa 40 Prozent, haben keinen Donner.
         Und die Blitze gehen auch nicht alle vom Himmel zur Erde.
    ▲   Wie _____ sonst?
    ▨   Viele gehen von der Erde zum Himmel.
    ▲   Na, da können wir _____ froh sein!

14. Wo stehen die Partikeln? Machen Sie ein Kreuz.

a)   Komm ▨ her ▨! (mal)
b)   Frierst ▨ du ▨ nicht? (denn)
c)   Wirf ▨ die alten Zeitungen ▨ weg! (doch)
d)   Frag ▨ den Schaffner ▨, wann wir ankommen. (mal)
e)   Das ist ▨ eine Pleite ▨! (vielleicht)
f)   Sei ▨ vorsichtig ▨! (bloß)
g)   Sag ▨ ja ▨! (einfach)
h)   Wir haben ▨ kein Glück ▨. (eben)

Wo stehen die Partikeln im Satz? Haben Sie es entdeckt?
Partikeln stehen meistens gleich nach dem _____, manchmal
auch nach dem Subjekt.

15. Grammatik im Text

Du, hör mal!
▲   Hör mal zu!
▨   Ja?
▲   Hier gibt's eine Liste der Biere. Kennst du einen Russen?
▨   Klar. Das ist Limo und Weißbier.
▲   Ja. Und was ist ein Radler?
▨   Limo und Bier, oder?
▲   Jawohl.
▨   Sag mal, machst du ein Quiz mit mir? Jetzt frage ich mal. Was ist
       eigentlich eine Berliner Weiße?
▲   Weißbier mit Himbeersaft natürlich. Igitt igitt!
▨   Richtig. Und Kölsch?
▲   600 Jahre alt und immer noch trinkbar.
▨   Bravo! – Fassbier?
▲   Das vielleicht beste Bier überhaupt. Bier aus dem Holzfass.
▨   Und Freibier?
▲   Das ist bestimmt das Bier, das du jetzt holst und das ich dann
       gemütlich trinke. Gratis.

Streichen Sie die Partikeln und lesen Sie den Text. Lesen Sie anschließend den
Originaltext. Welcher Text gefällt Ihnen besser?

Man sagt, das Deutsche klingt hart und unfreundlich. Dagegen helfen
die Partikeln, vor allem die Modalpartikeln. Sie sind die „Weichmacher" der
Sätze. Vergleichen Sie:

Das ist **nicht richtig**. (= unfreundlich, sehr direkt)

Das ist **eigentlich nicht richtig**. (= freundlicher)

Das ist **doch eigentlich nicht richtig**. (= noch freundlicher)

Benutzen Sie deshalb die Partikeln. Fangen Sie mit einer Partikel an, zum
Beispiel mit *denn* in der Frage. Probieren Sie es dann mit *ja, doch, mal* und so
weiter:

Was machst du **denn**?

Das ist **ja** eine Überraschung!

Das ist **doch** egal!

Moment **mal**! Guck **mal**!

Ja, denn, doch und *mal* sind besonders häufig.

Die Verwendung von *doch* (→ auch Wunschsätze, Nr. 175)

1. als Dialogpartikel:

Sind Sie nicht müde? – **Doch** (= betont), ich bin sehr müde.

2. als Adverb:

Er hat **doch** (= betont) Recht.

3. als Modalpartikel (= unbetont):

Hol bitte die Zeitung. – Ich habe sie **doch** schon geholt.

Sie wussten **doch**, dass ich komme.

Schrei **doch** nicht so!

Gehen Sie **doch** zum Arzt!

XI. Satzverbindungen / Konnektoren

Wir unterscheiden Konjunktionen und Subjunktionen.
Konjunktionen verbinden Hauptsätze.
In Hauptsätzen steht das konjugierte Verb in Position II:
Das Wetter ist schön **und** wir gehen jetzt spazieren.

Subjunktionen verbinden Hauptsätze und Nebensätze.
Im Nebensatz steht das konjugierte Verb am Ende:

	Das Radio ist laut.
Ich höre nichts,	**wenn** das Radio laut **ist**.
	Ich muss arbeiten.
Ich komme nicht,	**weil** ich arbeiten **muss**.

Konjunktionen

Konjunktionen sind:
und, aber, denn, sondern, oder
entweder ..., oder
zwar ..., aber
nicht nur ..., sondern auch

Konjunktionen verbinden zwei Hauptsätze. Die Hauptsätze bleiben unverändert.

I	II		0	I	II	
Der Koffer	ist	gepackt	**und**	das Auto	steht	vor der Tür.
Alle	sind	da,	**aber**	Heinz	fehlt.	
	Beeile	dich,	**denn**	wir	wollen	fahren.
Du	sollst	**nicht** trödeln,	**sondern**	(du)	(sollst)	kommen.
	Kommst	du mit	**oder**		bleibst	du da?
Entweder du	beeilst	dich	**oder**	du	bleibst	zu Hause.
Wir	haben	**zwar** Platz,	**aber**	es	ist	eng.
Christian	fährt	**nicht**				
		nur schnell,	**sondern**	(er)	(fährt)	**auch** gut.

Ich packe den Koffer **und (ich)** nehme
auch die Reisetasche mit.
Der Koffer ist schön, aber (der Koffer)
(ist) schwer.

(1) Das Subjekt / Das Verb ist
identisch. Nach *und, aber, oder,*
sondern können Sie das zweite
Subjekt / das zweite Verb weglassen.

aber
zwar ..., aber
Der Weg ist weit, aber wir schaffen
ihn in einer Stunde.
Der Weg ist weit, wir schaffen ihn aber
in einer Stunde.
Der Weg ist zwar schön, aber weit.

(2) Gebrauch:
Gegensätze
Aber kann in Position 0 oder frei
im Satz stehen.

denn
Er kommt nicht, denn er ist krank.

Grund

oder
entweder ... oder
Wir übernachten hier oder wir gehen
gleich zurück.
Entweder wir übernachten hier oder
wir gehen gleich zurück.

Alternative

sondern
nicht (nur) ..., sondern (auch)
Er ist nicht dumm, sondern faul.
Er ist nicht nur dumm, sondern
auch faul.

Korrektur
Sondern korrigiert eine negative
Aussage.
Sondern auch ergänzt eine Aussage.

sowohl ... als auch
Das Haus ist sowohl schön als
auch praktisch.

2 Möglichkeiten
Verbindet zwei Satzteile.

und
Das Haus ist schön und der Garten
ist groß.
Er kam, setzte sich und erzählte
sein Erlebnis.

Addition

1. *Verbinden Sie die Sätze mit* und*. Das zweite Subjekt können Sie manchmal weglassen.*

   a) Er ging durch die Straßen. Es regnete.
   b) Es war dunkel. Die Laternen brannten noch.
   c) Er ging am Rathaus vorbei. Er überquerte den Großen Platz.
   d) Schritte folgten ihm. Er lief schneller.
   e) Die Schritte kamen näher. Er lief zum Fluss hinunter.
   f) Er sah den Fluss. Er fühlte eine Hand auf der Schulter.

   Da wachte er auf ...

2. *Ergänzen Sie die passende Konjunktion.*

   a) Edith wollte Malerin werden, _____ sie hatte keinen Erfolg.
   b) Knut ist nicht im Büro, _____ beim Segeln.
   c) Er ist in Italien _____ Slowenien.
   d) Sie hat sich bei der Lufthansa beworben, _____ sie möchte Stewardess werden.
   e) Nina tanzt sehr gut _____ möchte Tänzerin werden.
   f) Sie möchte Tänzerin werden, _____ zuerst macht sie die Schule fertig.

3. *Verbinden Sie die Hauptsätze mit Konjunktionen. Das zweite Verb und das zweite Subjekt können Sie manchmal weglassen.*

   a) Ein Brötchen heißt in Süddeutschland Semmel. In Berlin heißt es Schrippe.
   b) Viele meinen: Bairisch klingt gut. Sächsisch klingt nicht so gut.
   c) Das war einmal anders. Sächsisch galt im 17. Jahrhundert als sprachliches Vorbild.
   d) „Hart arbeiten" oder „schuften" heißt „roboten" oder „wurachen" in Sachsen. Es heißt „wurzeln" und „haudern" in Hessen. Es heißt „schinageln" in Schwaben und Bayern.
   e) Unser Lehrer spricht mehrere Sprachen. Er spricht verschiedene Dialekte.
   f) Die Bäuerin spricht Dialekt. Sie spricht kein Hochdeutsch.

Subjunktionen

	Subjunktionen sind	
Zeit	temporal:	*als; wenn; bis; seit/seitdem; während*
		bevor; ehe
		nachdem; sobald
Grund	kausal:	*weil; da*
Bedingung	konditional:	*wenn; falls*
Einräumung	konzessiv:	*obwohl; obgleich*
Zweck/Folge	konsekutiv:	*so dass; so ..., dass*
Absicht	final:	*damit*
Gegenüberstellung	adversativ:	*anstatt; statt*
Vergleich		*als; wie; als ob*

dass → Nr. 103
ob → Nr. 120

Subjunktionen verbinden Hauptsatz und Nebensatz. Im Nebensatz steht das konjugierte Verb am Satzende:

I	II	I	II	Satzende
Sie	ist unpünktlich.	Er	ärgert sich.	
		Er	ärgert sich, weil sie unpünktlich	ist.

Der Nebensatz kann auch in Position I stehen. Das konjugierte Verb des Hauptsatzes steht wie immer in Position II:

I	II	
Weil sie unpünktlich ist,	**ärgert**	er sich.

		Gebrauch:
als	Als ich in Hamburg war, gab es Sturm.	gleichzeitig
	Als ich abgefahren war, wurde das Wetter besser.	nachzeitig
	(= Nachdem ich abgefahren war, wurde das Wetter besser.)	
→ bevor		vorzeitig
als	Du bist stärker, als du denkst.	Vergleich (→ Vergleichssatz, Nr. 102)

als ob	Er tut so, als ob er nichts wüsste. (= ..., als wüsste er nichts.)	irrealer Vergleich (→ Konjunktiv II, Nr. 168; 175)
(an)statt dass	Anstatt dass er fernsieht, könnte er uns helfen. (= Anstatt fernzusehen, könnte er uns helfen. → Infinitiv- konstruktion Nr. 160, 162)	adversativ (nicht wie erwartet)
bevor	Bevor ich in Hamburg ankam, war das Wetter schlecht. = Das Wetter war schlecht, dann kam ich an und es wurde besser.	Zeit Handlung im Hauptsatz + Hand- lung im Nebensatz Frage: Wann?
bis	Warte, bis ich fertig bin. Warte, bis wir gegessen haben.	Zeit Ende einer Handlung Frage: Bis wann?
da	Da die Stipendien knapp sind, müssen viele Studenten arbeiten. Mündlich *weil:* Warum arbeitest du? – Weil ich kein Stipendium bekomme.	Grund
damit	Peter will die Meisterprüfung machen, damit er selbst Lehrlinge ausbilden kann. (= um selbst Lehrlinge ausbilden zu können. → Infinitiv- konstruktion Nr. 160, 162)	Absicht Frage: Wozu?
ehe	Ehe (= Bevor) er die Prüfung macht, geht er in die Berufsschule.	Zeit
falls	Falls (= Wenn) er die Prüfung nicht schafft, muss er das Jahr wiederholen.	Bedingung

| nachdem | Nachdem er in einem Betrieb gearbeitet hat, macht er die Prüfung. Er arbeitet … und macht dann die Prüfung. | Zeit Frage: Wann? |

Beachten Sie die Tempora:

nachdem-Satz (früher	Hauptsatz später)
Perfekt Plusquamperfekt	Präsens Präteritum

obwohl / obgleich	Obwohl sich Petra oft beworben hat, hat sie keine Lehrstelle gefunden. *Vergleichen Sie:* Petra hat sich oft beworben; trotzdem hat sie keine Lehrstelle gefunden.	Einräumung
seit(dem)	Seit / Seitdem er eine Lehrstelle hat, ist er überglücklich.	Zeit Beginn einer Handlung Frage: Seit wann?
so dass	Sein Freund verdient genug Geld, so dass er ein Geschäft kaufen kann. Er verdient so viel Geld, dass er ein Geschäft kaufen kann.	Folge
sobald	Sobald er die Prüfung hat, will er einen Handwerksbetrieb gründen.	gleich danach Frage: Wann?
solange	Er fühlt sich nicht wohl, solange er kein Geld verdient.	gleichzeitig
während	Er liest, während sie fernsieht.	Gleichzeitigkeit
weil	Warum geht Manuela nicht zur Arbeit? – Weil sie krank ist.	Grund

wenn	Wenn sie fertig ist, mietet sie eine eigene Wohnung.	Bedingung (real)
	Wenn sie fertig wäre, würde sie eine eigene Wohnung mieten.	Bedingung (irreal)
	Ich mache Pause, wenn ich mit dieser Arbeit fertig bin.	Zeit einmalige Handlung
	Jedesmal wenn ich fernsehe, klingelt das Telefon.	wiederholte Handlung
	(→ *als:* Sie sah fern, als das Telefon klingelte.)	

Vergangenheit	Gegenwart	
als	wenn	einmalig
wenn	wenn	wiederholt

wie	Sie ist so alt, wie ich gedacht habe. Sie ist genauso alt wie ihr Freund. *so = genauso = ebenso*	Vergleich

4. *Wann? – wenn – **Bilden Sie Sätze.***

a) Wann binden Sie eine Krawatte um?
  – ich heirate
  – ich muss mich vorstellen
  – ich will einen guten Eindruck machen

b) Wann binden Sie keine Krawatte um?
  – ich habe Urlaub
  – ich habe keine Lust
  – ich möchte ein wenig schockieren

5. *Wann fühlen Sie sich so richtig wohl? Ergänzen Sie.*

Ich fühle mich so richtig wohl, wenn …
a) (Ich habe Besuch von Freunden.)
b) (Mein Fußballclub hat gewonnen.)
c) (Es regnet nur einen Tag, die Sonne scheint dann wieder.)
d) (40 Jahre alt ist kein Thema.)

e)   (Meine Partei gewinnt die Wahlen.)
f)   (Freunde fahren mich nach einem guten Essen nach Hause.)

6. *Wenn einer eine Reise tut, dann kann er was erzählen.*
    Ergänzen Sie.

a)   Ich fahre nach Ägypten, weil ...
      (Die Pyramiden sind hoch und die Sonne ist schön heiß.)
b)   Ich fahre nach Kiribati, weil ...
      (Niemand weiß, wo das liegt.)
c)   Ich fahre nach Bayern, weil ...
      (Die Berge sind dort am höchsten.)
d)   Ich fahre nach Spitzbergen, weil ...
      (Ich will auch mal Eisberge sehen.)
e)   Ich fliege nach Spanien, weil ...
      (Alle Nachbarn waren schon dort.)
f)   Ich mache eine Schiffsfahrt, weil ...
      (Ich möchte mich einmal richtig ausschlafen.)

Fragen Sie Warum ...? *und antworten Sie mit dem Nebensatz:* Weil ... .

7. *Die 10 aufregendsten Städte oder Orte – Fragen Sie auch* Warum ...?

a)   Berlin, weil ...
      (Die Stadt ist die größte Baustelle der Welt.)
b)   Hamburg, weil ...
      (In Hamburg sind die Nächte lang.)
c)   Köln, weil ...
      (Das Kölsch (= Bier) schmeckt so gut.)
d)   München, weil ...
      (Dort findet das Oktoberfest statt.)
e)   Trier, weil ...
      (Man begegnet überall römischen Ruinen.)
f)   Dresden, weil ...
      (Sie müssen alles über die Frauenkirche wissen.)
g)   Hinteroberbergheim, weil ...
      (Sie wissen bestimmt nicht, wo das liegt.)
h)   Füssen, weil ...
      (Sie wollen Schloss Neuschwanstein sehen.)

i) Bad Birnbach, weil ...

(Dort ist aufregend wenig los und Sie können sich richtig erholen.)

j) Frankfurt, weil ...

(Dort gibt es Deutschlands höchste Hochhäuser.)

8. *Welche Subjunktion passt?*

weil, bevor, damit, seitdem, obwohl, wenn

Vermeiden Sie Unfälle

a) Fassen Sie nie ein Elektrogerät an, _____ Sie nasse Hände haben oder _____ Sie auf nassem Boden stehen.

b) Prüfen Sie, wo elektrische Leitungen in der Wand sind, _____ Sie die Bohrmaschine bedienen.

c) Benutzen Sie kein elektrisches Gerät beim Baden, _____ das lebensgefährlich ist.

d) _____ Sie sich mit einer heißen Flüssigkeit den Mund verbrannt haben, hilft Butter oder süße Sahne.

e) Lassen Sie nie Zigaretten liegen, _____ Kleinkinder sie nicht verschlucken.

f) Achtung mit Plastiktüten, _____ Kinderspiele tödlich sein können, _____ Kinder diese Tüte vor Mund und Nase pressen.

g) Rasenpflege ist einfach, _____ es Rasenmäher gibt.

h) Fassen Sie nie in die Messer des Rasenmähers. Es könnte sein, dass sie sich noch drehen, _____ das Gerät schon ausgeschaltet ist.

9. *Was haben die folgenden Sätze gemeinsam?*

a) Florian kommt, um mit Martina zu spielen.

b) Florian kommt, weil er mit Martina spielen will.

c) Wisst ihr, wann Florian kommt?

d) Wir schätzen, dass Florian gleich nach der Schule kommt.

e) Wisst ihr, ob er schon gegessen hat?

f) Da ist Florian, der bestimmt mit Martina spielen will.

Was sind das für Sätze? Ordnen Sie zu.

1 Relativsatz, 2 Kausalsatz, 3 Infinitivsatz, 4 Indirekter Fragesatz, 5 dass-Satz.

Und was haben sie gemeinsam?

_____

10. Grammatik im Text

Tolle Tipps

a) ... für die Küche

1. Zwiebeln kann man besser schälen, wenn man sie zwei Minuten in kochendes Wasser legt.
2. Gewürze halten länger, wenn man sie in Olivenöl legt.
3. Senf sollten Sie in den Kühlschrank tun, da Öle empfindlich gegen Licht sind.
4. Damit Milch im Topf nicht ansetzt, spülen Sie ihn vorher mit kaltem Wasser.
5. Kiwis reifen schneller, wenn Sie einen reifen Apfel mit in die Papiertüte tun.
6. Paranüsse lassen sich leichter knacken, wenn Sie sie 10 Minuten bei 200 Grad erhitzen.

Markieren Sie die Subjunktion und das Verb im Nebensatz.
Stellen Sie die Nebensätze in Position I.

b) ... für die Reisevorbereitung

1. Denken Sie möglichst früh an eventuelle Impfungen, damit Sie im Urlaub keine Probleme bekommen.
2. Machen Sie eine Liste, bevor Sie mit dem Kofferpacken anfangen.
3. Auch wenn Sie in den Süden fahren, sollten Sie eine warme Wolljacke mitnehmen.
4. Falls Sie gern Urlaubskarten schreiben, sollten Sie die Adressen nicht vergessen.
5. Man spart Zeit und Ärger, wenn man bei Autoreisen die Fahrtroute genau studiert.
6. Denken Sie daran, dass während der Hauptreisezeit ein kleiner Umweg manchmal kürzer ist als der direkte Weg über die Autobahn.
7. Bevor Sie die Wohnung verlassen, sollten Sie nachschauen, ob alle elektrischen Geräte ausgeschaltet sind.
8. Wenn Sie Kopien Ihrer Papiere machen, können Sie vielleicht viel Ärger vermeiden.

Markieren Sie die Nebensätze. Unterstreichen Sie das konjugierte Verb am Ende.
In welchen Sätzen steht der Nebensatz am Anfang. Welches Wort steht nach dem Komma?

c) *Ergänzen Sie die Verbindungen zwischen Satzteilen und Sätzen. Es fehlen sowohl Relativpronomen, Konjunktionen als auch Subjunktionen.*

Ivanca, 22, aus Polen berichtet:

Seit Jahren lerne ich Deutsch in der Schule. _____ es wird noch etwas dauern, _____ ich es richtig kann. Ich glaube, jeder Mensch ist so wie die Sprache, _____ er spricht. Französisch zum Beispiel ist eine schöne Sprache, _____ aber ein bisschen affektiv wirkt. Englisch klingt trocken _____ pointiert wie die Engländer. _____ Deutsch klingt in meinen Ohren exakt, kantig, praktisch wie ein Automotor. Passt zu einem Land, _____ _____ jede Familie ungefähr zwei Autos in der Garage hat.

In unserem Deutschbuch ist sogar ein ganzes Kapitel über das Auto. Damit haben wir _____ _____ das Passiv gelernt, _____ _____ Vokabeln wie ein Automechaniker.

_____ ich in ein paar Wochen mein Abschlussexamen habe, werde ich an der Uni anfangen. _____ wir in Polen neben Englisch auch Deutsch brauchen, möchte ich auch nach Deutschland fahren und mich auf Deutsch unterhalten, _____ ich später Deutschlehrerin werden kann.

Syntax-Baustein 15

Wo steht das konjugierte Verb? – Übersicht

1. Am Satzanfang

Wohnen Sie in Kiel?		Satzfrage → Nr. 9
Hat Peter angerufen?		
Komm bitte!		Imperativ
Ruf bitte an!		

2. In Position II

Wo	**wohnen** Sie?		Frage mit Fragewort (W-Fragen → Nr. 9, 10)
Peter	**kommt**	morgen.	Hauptsatz
Morgen	**kommt**	Peter.	Angaben oder Ergän-
Aus München	**hat**	er angerufen.	zungen in Position I
Wegen Nebel	**konnte**	er nicht fahren.	→ Nr. 23, 88

Peter	**hat**	heute	**angerufen.**	Satzklammer → Nr. 47, 57
Eva	**ruft**	bestimmt	**an.**	Partizip II, Vorsilbe oder
Er	**möchte**	zu Hause	**anrufen.**	Infinitiv am Satzende.
Sie	**wird**	bestimmt	**anrufen.**	

Die Koffer sind im Flur und das Auto **steht** vor der Tür.	Hauptsätze mit den Konjunktionen *und, aber, oder, denn,* *sondern*
Je besser das Restaurant ist, desto teurer **sind** die Weine.	Vergleichssätze mit *je ... desto* → Nr. 102
Petra möchte ein Motorrad, deshalb **macht** sie den Führerschein.	Adverbien als Konjunktionen
Weil er unpünktlich ist, **ärgert** sie sich.	Nebensatz in Position I

3. Am Satzende

Der Rotwein ist älter, als ich **dachte.**	Vergleichssätze → Nr. 102
Der Weißwein ist so alt, wie ich vermutet **habe.**	
Ich glaube, dass der Rotwein sehr alt **ist.**	*dass*-Sätze → Nr. 103
Ich weiß nicht, wer den Wein gekauft **hat.**	Indirekte Fragesätze → Nr. 120
Wie heißt der Mann, der uns gegrüßt **hat?**	Relativsätze → Nr. 126
	Nebensätze mit Subjunktionen:
Als er in Hamburg **ankam**, holte sie ihn ab.	Temporalsatz
Sie ärgerte sich, weil er unpünktlich **war.**	Kausalsatz
Wenn sie genug Geld **hat**, macht sie sich selbstständig.	Konditionalsatz
Obwohl es **regnet**, ist es nicht kalt.	Konzessivsatz
Er fährt so schnell, dass ich Angst **bekomme.**	Konsekutivsatz
Sie spart, damit sie eine Wohnung kaufen **kann.**	Finalsatz
Anstatt dass er **spart**, macht er große Reisen.	Adversativsatz

XII. Das Verb (2)

Der Infinitiv
(Substantivierung → Nr. 64)

Der Infinitiv steht ohne *zu* und mit *zu*.

Die Jungen **wollen** Fußball **spielen**.
Lass sie **spielen**!
Bleiben Sie ruhig **sitzen**.
Wir **gehen / fahren einkaufen**.
Ich **höre / sehe** ihn **kommen**.
Sie **lernt tauchen**.
Die Jungen **haben** Fußball
   spielen wollen.
Ich **habe** sie **spielen lassen**.
Ich **habe** ihn **kommen hören / sehen**.
	Ohne *zu:*
	(1) nach Modalverben
	     und *lassen, bleiben*
	
	(2) nach *gehen, fahren*
	(3) bei *hören, sehen, lernen*
	
	(4) Perfekt und
	     Plusquamperfekt:
	     Modalverben und *lassen, hören,*
	     sehen haben den Infinitiv, also
	     2 Infinitive.

Wir sind **einkaufen gegangen / gefahren**. Er ist **sitzen geblieben**. Sie hat **tauchen gelernt**.	Alle anderen Verben haben Partizip II + Infinitiv.

Sie hat **angefangen**, segeln **zu lernen**.	Mit *zu:*
	(1) nach bestimmten Verben:
	     anfangen, beschließen, beginnen,
	     entscheiden, sich freuen, fürchten,
	     hoffen, vergessen, versprechen,
	     versuchen, vorhaben

Du **brauchst** nicht **zu warten**. Er **scheint** müde **zu werden**.	(2) nach *brauchen* (3) nach *scheinen*

Es ist verboten, allein **zu tauchen**.

(4) nach Ausdrücken mit *es: Es ist möglich / schwierig / verboten / schade* ...

Das ist zu schaffen.
(= Das muss / kann man schaffen.)
Er **hat zu kämpfen**.
(= Er muss kämpfen.)

(5) bei *sein + zu*

haben + zu

Lerntipp

„Wer *brauchen* ohne *zu* gebraucht, braucht *brauchen* überhaupt nicht zu gebrauchen."

Das ist ein Spruch, der häufig zitiert wird, wenn jemand *zu* weglässt.
Und das geschieht in der Umgangssprache oft.
Wenn Sie korrekt sein wollen, dann gebrauchen Sie *brauchen + zu*.

Unterscheiden Sie:
brauchen = nötig haben   Er braucht frische Luft.
gebrauchen = verwenden   Gebrauchen Sie *zu*.
verbrauchen = bis zu Ende brauchen   Das Gerät verbraucht viel Strom.

Übungen

1. *Infinitiv mit oder ohne* zu?

a) Christine möchte Schi fahren ... (lernen)
b) Christine und Gerhard beschließen, ... (in Schiurlaub fahren)
c) Sie hat immer Angst, ... (hinfallen, sich etwas brechen)
d) Sie hat vor, ... (einen Kurs machen)
e) Dort braucht sie keine Angst ... (haben)
f) Sie lässt sich vom Schilehrer die Übungen ... (zeigen)
g) Sie vergisst immer, sich auf den richtigen Schi ... (stellen)
h) Sie beschließt, schneller ... (fahren)
i) Das scheint leichter ... (gehen)
j) Sie fängt an, ehrgeizig ... (werden)
k) Zum Schluss möchte sie eine Privatstunde ... (nehmen)
l) Sie hat das Gefühl, schon sicherer ... (sein)

2. Welches sind die gefährlichsten Sportarten?

Bei welcher Sportart verletzt man sich am häufigsten? (5 = am gefährlichsten)

Paragleiten	4,3
Drachenfliegen	4,3
Boxen	4,0
Klettern	3,7
Segelfliegen	3,7
Fußball	3,7
Fallschirmspringen	3,7
Eishockey	3,6
Kanu- und Kajakfahren	3,3
Tauchen	3,3
Schitouren	3,0
Snowboarding	3,0
Rafting	3,0

Sprechen Sie jetzt von sich. Achtung: Manchmal müssen Sie spielen, fahren
oder machen *benutzen.*
Ich fliege mit dem Paragleiter.
Ich fliege mit dem Drachen.
Ich boxe. ...

Kommentieren Sie jetzt die Statistik.
Es ist am gefährlichsten, ...
Es ist (sehr) gefährlich, ...
Es ist weniger gefährlich, ...

3. Grammatik im Text

a) Ärger und Stress – was tun?

Wie Männer und Frauen im Leben und im Job reagieren:

schlucken und nichts sagen	80%
mit Freunden darüber reden	67%
sich sportlich betätigen	60%
Spaziergänge machen	55%
wütend werden	50%
Alkohol trinken	31%
meditieren	5%

Machen Sie aus der Statistik einen Text: 80 % der Menschen schlucken und sagen nichts ...
Und wie reagieren Sie? Beginnen Sie so: Wenn ich Ärger habe, ...

b) *Tipps für den Schi-Winter*
1 – Zuerst die müden Knochen auf Trab bringen und Schi-Gymnastik machen
2 – die schönsten Schiorte nachschlagen
3 – rechtzeitig das Hotel buchen
4 – bei Sportgeräten auf Qualität achten
5 – nicht Schlange stehen, sondern neue Pisten ausprobieren
6 – etwas Neues ausprobieren, zum Beispiel Snowboarden

Schreiben Sie einen Text und beginnen Sie so: Der Schispezialist rät, ...

Syntax-Baustein 16

Infinitivkonstruktionen

1. Hauptsatz, ... (zu) + Infinitiv
Infinitivkonstruktionen haben das Subjekt des Hauptsatzes. Machen Sie die Probe mit *dass:*
Er hofft, den ersten Preis zu gewinnen.
Er hofft, **dass er** den ersten Preis gewinnt.
Er hofft, **dass sein Club** den ersten Preis gewinnt. (Infinitivkonstruktion nicht möglich.)

2. Eine Ausnahme machen Verben des Bittens, Befehlens und Ratens – *bitten, erlauben, raten, verbieten, vorschlagen.* Die Infinitivkonstruktion bezieht sich auf die Dativergänzung, nicht auf das Subjekt des Hauptsatzes.
Der Arzt **rät dem Sportler,** eine Woche nicht **zu trainieren.**
Der Arzt **rät dem Sportler, dass er** eine Woche nicht trainiert.
Er **verbietet ihm,** am Wettkampf **teilzunehmen.**
Er **verbietet ihm, dass er** am Wettkampf teilnimmt.

3. um ... zu, ohne ... zu, anstatt ... zu

Er trainiert regelmäßig, **um seine Leistung zu verbessern.**
Er trainiert weiter, **ohne auf seine Verletzung zu achten.**
Er trainiert täglich, **anstatt eine Pause zu machen.**

Oft steht die Infinitivkonstruktion in Position I:
Um seine Leistung zu verbessern, trainiert er regelmäßig.
Ohne auf seine Verletzung zu achten, trainiert er weiter.
Anstatt eine Pause zu machen, trainiert er täglich.

4. *Bilden Sie eine Infinitivkonstruktion, wenn möglich.*

a) Wir empfehlen Ihnen, dass Sie das neueste Schimodell kaufen.
b) Wir raten allen, dass sie nicht außerhalb der Piste fahren.
c) Die Sportlerin glaubt, dass sie gewinnen kann.
d) Der Verein hofft, dass sie Punkte macht.
e) Er meint, dass sie sich verbessern kann.
f) Sie verspricht, dass sie ihr Bestes geben wird.

5. *Ergänzen Sie um ... zu, ohne ... zu oder anstatt ... zu.*

a) Die Freunde trafen sich, _____ diskutieren.
b) Sie machten Lesungen, _____ diskutieren und _____ kritisieren.
c) _____ arbeiten, feierten sie oft.
d) Sie bildeten eine Gruppe, _____ ein Programm _____ haben.
e) Sie kamen zusammen, _____ Verantwortung _____ zeigen.
f) _____ die Politik _____ kommentieren, verhielten sie sich passiv.

6. *Grammatik im Text*

a) *Wie es wirklich war – Erinnerungen an die Gruppe 47*
Im Herbst 1947 trafen sich einige Autorinnen und Autoren, um einander ihre Texte vorzulesen. Hans Werner Richter leitete die Lesungen. Zur Gruppe 47 gehörten Ingeborg Bachmann, Martin Walser, Heinrich Böll, Günter Grass und viele andere. Heute gibt es die Tendenz, die Rolle der Gruppe zu idealisieren.

Übungen

In der Sendung „Erinnerungen an die Gruppe 47" geben Zeitzeugen
Auskunft darüber, wie es wirklich war. Sie versuchen in ihren Berichten,
die Arbeit der Gruppe realistisch darzustellen.
(Bayern2Radio, Freitag, 15.30 Uhr)

Markieren Sie die Infinitivkonstruktionen.

b) **Paolo aus Italien berichtet über seinen Deutschkurs**
Oscar Wilde hat einmal gesagt, das Leben ist viel zu kurz, um Deutsch
zu lernen. Ich versuche es trotzdem weiter. Jeden Nachmittag lerne
ich Grammatik: der Vater, des Vaters, dem Vater, den Vater, die Väter ...
Ich habe beschlossen, die Märchen der Brüder Grimm zu lesen, weil
ich sie gut verstehen kann. Manchmal versuche ich, etwas Schwieriges
zu lesen, zum Beispiel einen Roman auf Deutsch, den ich schon auf
Italienisch gelesen habe. Auch Zeitung lese ich manchmal, vor allem die
Abendzeitung und tz. Die sind sprachlich einfacher als die Süddeutsche.
Fernsehen bringt auch sehr viel. Wenn ich müde vom Sprachkurs heim-
komme, genieße ich es, einen Krimi anzuschauen. Das ist ideal, um sich
von den Infinitivkonstruktionen eines langen Schultags zu erholen.

Markieren Sie die Infinitivkonstruktionen.
Welche Nebensätze gibt es außerdem?

163

Tipps & Tricks
Wenn das Subjekt im Hauptsatz und im Infinitivsatz gleich ist, verwenden
Sie bitte die Infinitivkonstruktion, nicht *dass*. Die Infinitivkonstruktion ist
stilistisch eleganter: *Er hofft, den ersten Preis zu gewinnen.* (an Stelle: *Er hofft,
dass ...*)
Manche Verben funktionieren übrigens nur mit dem Infinitiv, nicht mit *dass*:
Sie **fängt an / beginnt / hört auf**, Sport zu treiben.

Das Passiv

Die Formen

164

Präsens

Ich	werde	fotografiert.
Du	wirst	fotografiert.
Er / sie	wird	fotografiert.

Wir	werden	fotografiert.
Ihr	werdet	fotografiert.
Sie	werden	fotografiert.

Präteritum

Ich	wurde	fotografiert.
...		

Perfekt

Ich	bin	fotografiert	worden.
...			

Bildung des Passivs: *werden* + Partizip II

Die Produktion des Trabi
wurde eingestellt.
Mehrere Filme **wurden gedreht.**

(1) Das Passiv kommt in beschreibenden Texten vor. Deshalb ist die 3. Person Singular und Plural besonders häufig.

Ich werde sofort **informiert.**

Bist du gefragt worden?

Das Passiv kann man in allen Personen und Tempora bilden. Im Perfekt steht die Kurzform *worden* (nicht: *geworden*).

Aktiv und Passiv

165

Präsens	Passiv	Der Unfall **wird protokolliert.**
	Aktiv	Ein Polizist **protokolliert** den Unfall.
Präteritum	Passiv	Der Unfall **wurde beobachtet.**
	Aktiv	Ein Passant **beobachtete** den Unfall.

| Perfekt | Passiv | Der Mann **ist** ins Krankenhaus **gebracht worden**. |
| | Aktiv | Ein Krankenwagen **hat** den Mann ins Krankenhaus **gebracht**. |

Ein Passant hat   **den Unfall** beobachtet.
Subjekt   Akkusativergänzung

Der Unfall wurde   **(von einem Passanten)**
                     beobachtet.
Subjekt   *(von* + Dativ)

(1) Aktiv → Passiv:
Akkusativergänzung
→ Subjekt

Subjekt → *von* + Dativ

Der Mann **wurde** ins Krankenhaus
   gebracht.
Er **ist** sofort **untersucht worden**.

(2) *von* + Dativ ist oft
uninteressant oder
selbstverständlich
(*von einem Arzt*). Man
lässt *von* + Dativ weg.

Das Feuer wurde **von der Feuerwehr** gelöscht.
Das Haus wurde **durch ein Feuer** zerstört.

(3) *von* + Dativ: „Täter"
durch + Akkusativ:
Mittel, Instrument

Man hat den Unfall **beobachtet**. – Der Unfall ist
beobachtet worden.
Man bringt den Mann ins Krankenhaus. –
  Der Mann wird ins Krankenhaus gebracht.

(4) Unbekanntes Subjekt:
man im Aktivsatz.
Man im Passivsatz ist
nicht möglich.

Es wurde geraucht / getrunken / gegessen.

(5) Häufig *es*, wenn
ein „Täter" nicht
vorhanden ist.
→ (Nr. 86)

166   Modalverben im Passiv

Präsens	Passiv	Der Mann **kann gerettet werden**.
	Aktiv	Man **kann** den Mann **retten**.
Präteritum	Passiv	Der Mann **konnte gerettet werden**.
	Aktiv	Man **konnte** den Mann **retten**.
Perfekt	Passiv	Der Mann **hat gerettet werden können**.
	Aktiv	Man **hat** den Mann **retten können**.

Präteritum ist stilistisch besser als das komplizierte Perfekt.
Das konjugierte Verb *(kann, hat)* steht in Position II, der Infinitiv steht
am Satzende. (→ Modalverben, Nr. 26–38)

Das Passiv im Nebensatz und in der Infinitivkonstruktion 167

Passiv	In der Zeitung stand, dass der Mann **gerettet werden konnte**.
Aktiv	In der Zeitung stand, dass man den Mann **retten konnte**.
Passiv	Der Mann hofft, **bald entlassen zu werden**.
Aktiv	Der Mann hofft, dass man ihn bald **entlässt**.

> **Lerntipp**
>
> Vermeiden Sie das Passiv, wenn Sie einen Aktivsatz mit handelndem Subjekt
> bilden können. Der Aktivsatz ist einfacher und lebendiger:
> Der Mann **wurde** sofort von einem Hubschrauber ins Krankenhaus **gebracht**.
> → **Ein Hubschrauber brachte** den Mann sofort ins Krankenhaus.

7. Bilden Sie das Passiv Präsens, Präteritum und Perfekt.

a) Die Ware (liefern) d) Die Straße (sperren)
b) Der Angeklagte (vernehmen) e) Das Konzert (verschieben)
c) Der Fernseher (reparieren) f) Das Auto (verkaufen)

8. Wann wird am häufigsten gelogen? Bilden Sie Passivsätze.

a) beim Alter, lügen f) beim Beruf, übertreiben
b) die Haarfarbe, nicht verraten g) bei der Kinderzahl, untertreiben
c) die Größe, höher angeben h) die Hobbys, abenteuerlich
d) das Gewicht, geringer darstellen
   angeben
e) das Einkommen, erhöhen

9. **Was muss ich heute alles tun? Bilden Sie das Passiv mit** *müssen*.

a) die Wäsche – waschen
b) die Briefe – einstecken
c) die Kinder – abholen

d) die Blumen – gießen
e) die Wohnung – aufräumen
f) die Schuhe – putzen

Erzählen Sie auch im Aktiv: *Ich muss heute noch* … **Ergänzen Sie die Beispiele.**

10. *Aus einer Chronik – Ergänzen Sie das passende Partizip II. Bilden Sie dann Passivsätze im Präsens.*

a) 1820   Turnen in Preußen   verbieten
b) 1810   Oktoberfest in München   gründen
c) 1881   Erste Fernsprecher in Deutschland   einrichten
d) 1906   Hosenrock in Paris   ablehnen
e) 1878   Postkarte von Heinrich Stephan   einführen
f) 1948   der Staatsmann Mahatma Gandhi   ermorden

11. *Überschriften in der Zeitung*
    Bilden Sie – wenn möglich – Sätze im Passiv.

Beispiel:
Räuber **verhaftet**
Der Räuber **wurde verhaftet.**

Kurz gemeldet
60-Meter-Sturz überlebt
Deutsches Museum international empfohlen
Radlerin angefahren und schwer verletzt
Konferenz erfolgreich beendet
Flugzeug notgelandet
300 Menschen erkrankt

Welche Überschriften sind keine Passivformen?

Regel:
Überschriften sind oft Passivformen oder _____.

12. Grammatik im Text

Das Passiv wird in beschreibenden Texten verwendet, also auch in Zeitungstexten.

a) Der Trabant – von den Anfängen bis zum Aus

Am 7. November 1957 rollten die ersten Kleinwagen in der Automobilstadt Zwickau vom Band. Es war der vierzigste Jahrestag der Oktoberrevolution. Mehr als drei Millionen Exemplare wurden bis 1991 gebaut. Der Trabant war für zwei Erwachsene und zwei Kinder gedacht. Er war das Kultauto der kleinen Leute, liebevoll „Trabi" genannt. Die Bundesbürger hatten ihren „Käfer", die DDR-Bürger ihren „Sachsen-Porsche", den Trabant.

Dann kam der Fall der Mauer. Den hat der Kleinwagen miterlebt, aber nicht lange überlebt. Um die Wendezeit wurde der Trabi noch begeistert gefeiert. Aber bald kam das Aus. Das „Auto des Jahres 1989" war nicht umweltfreundlich und verpestete die Luft. Die Produktion wurde eingestellt und 12 000 Menschen verloren ihren Arbeitsplatz. Fahrzeuge und Materialien wurden in Automobilmuseen ausgestellt. Einzelne Exemplare wurden poppig angemalt, Kult und Nostalgie gaben sich die Hand. Nostalgisch waren auch die Filme, die über den Trabant und seine Geschichte gedreht wurden.

b) Woher kommt der Klammeraffe?

Bekannt wurde das Zeichen @ durch Internet und E-Mail. Es trennt in jeder E-Mail-Adresse den Namen des Empfängers von seinem elektronischen Postamt, zum Beispiel: VerlagfuerDeutsch@t-online.de. Ausgesprochen wird das Zeichen „ät", wie Englisch „at" („zu" oder „bei").

Dieses Zeichen, genannt Klammeraffe, hat seinen Ursprung im Mittelalter. Um sich die Arbeit in den Schreibstuben zu erleichtern, wurden Kurzzeichen für häufig vorkommende Wörter erfunden. So wurde das lateinische Wort „ad" (Deutsch: zu, an, bei) durch ein Kurzzeichen ersetzt, das dem @ sehr ähnlich war. Im 16. Jahrhundert verwendeten Kaufleute das Zeichen bei Preisangaben: 3 Ziegenhäute @ (= zu) 1 Krone. Später erschien es auf den Schreibmaschinen und wurde von Buchhaltern benutzt. Schließlich gelangte es in die Computerwelt. Programmierern gefiel das Kurzzeichen, weil es nicht gebräuchlich ist und keine Gefahr der Verwechslung besteht. Am PC wird das Zeichen aufgerufen mit den Tasten „Alt-GR" und „Q" oder „Alt+Shift" und „1".

(nach PM 11/1997, S. 68)

c) *Was wird zum Welterbe?*

Die Pyramiden in Ägypten, die Wasserfälle des Iguacu in Argentinien und der Kölner Dom in Deutschland sind Kultur- oder Naturdenkmäler, die in die Liste der „Welterbestätten" aufgenommen wurden. Die Vorschläge werden von den einzelnen Staaten gemacht, die Entscheidung trifft die UNESCO (Organisation der Vereinten Nationen für Bildung, Wissenschaft, Kultur und Kommunikation). Sie hat die „Internationale Konvention für das Kultur- und Naturerbe der Menschheit" beschlossen, die von 147 Staaten unterschrieben wurde.

Über 500 Objekte in über 100 Ländern wurden in die Welterbeliste aufgenommen, laufend kommen neue hinzu. Um „Welterbe" zu werden, muss das Natur- oder Kulturdenkmal bestimmte Eigenschaften haben. Es muss einmalig und historisch echt sein, außerdem gut erhalten. Der jeweilige Staat wird verpflichtet, die Stätte zu pflegen und zu erhalten.

In Deutschland gehören zum Welterbe die Dome in Aachen, Speyer, Köln, Hildesheim, die Bauten der Römer in Trier, viele Schlösser und Kirchen, Altstädte und vieles mehr.

(nach PM 11 / 1997, S. 68)

Welterbestätte: die Welt + das Erbe + die Stätte
Kultur- oder Naturdenkmäler: Kulturdenkmäler (die Kultur + die Denkmäler)
oder Naturdenkmäler (die Natur + die Denkmäler)

Markieren Sie die Passivsätze.
Wo steht von + Dativ?
Formen Sie die Passivsätze ins Aktiv um.

Der Konjunktiv II

Wir unterscheiden Indikativ und Konjunktiv:
Er **war** Pilot.   = Indikativ (real)
Er **wäre** gern Pilot.   = Konjunktiv (irreal)

Die Formen

Der Konjunktiv II wird vom Präteritum abgeleitet:
er **war**   Präteritum
→ er **wäre**   → Konjunktiv II

ich / er / sie **wäre**   Die erste und die dritte Person Singular
                                               sind identisch. (→ Präteritum, Nr. 17)

Die Endungen des Konjunktivs:

	1. Person	2. Person	3. Person
Singular	-e	-(e)st	-e
Plural	-en	-(e)t	-en

Hilfsverben und Modalverben

	sein	haben	dürfen	können	müssen	
(er	war	hatte	durfte	konnte	musste)	(Indikativ Präteritum)
ich	wäre	hätte	dürfte	könnte	müsste	Konjunktiv II
du	wärst	hättest	dürftest	könntest	müsstest	
er / sie / es	wäre	hätte	dürfte	könnte	müsste	
wir	wären	hätten	dürften	könnten	müssten	
ihr	wärt	hättet	dürftet	könntet	müsstet	
sie	wären	hätten	dürften	könnten	müssten	

Im Konjunktiv II haben die Vokale Umlaut:
$a → ä, o → ö, u → ü$.

171 **Regelmäßige Verben**

	wohnen		Die Konjunktiv II-Formen und
(er	wohn*te*)	(Präteritum)	die Präteritum-Formen Indikativ

			der regelmäßigen Verben sind
ich	wohnte	Konjunktiv II	identisch.
du	wohntest		
er / sie / es	wohnte		

wir	wohnten
ihr	wohntet
sie	wohnten

172 **Unregelmäßige Verben**

	geben	gehen	bleiben	wissen	
er	gab	ging	blieb	wus*ste*)	(Präteritum)

ich	gäbe	ginge	bliebe	wüsste	Konjunktiv II
du	gäb(e)st	gingest	bliebest	wüsstest	
er / sie	gäbe	ginge	bliebe	wüsste	

wir	gäben	gingen	blieben	wüssten
ihr	gäb(e)t	ginget	bliebet	wüsstet
sie	gäben	gingen	blieben	wüssten

Auch:

	kommen	lassen	
er	kam	ließ)	(Präteritum)

ich	käme	ließe	Konjunktiv II

Alle anderen Konjunktivformen der unregelmäßigen Verben sind selten, vor allem in der gesprochenen Sprache.

würde-Konjunktiv

ich	**würde**	fahren	statt: *ich führe,*
du	**würdest**	fahren	*du führest ...*
er / sie / es	**würde**	fahren	

wir	**würden**	fahren
ihr	**würdet**	fahren
sie	**würden**	fahren

Ich **würde** gern in die Stadt **fahren.**
(*statt:* Ich führe gern ...)

(1) Unregelmäßige Verben:
Meistens *würde* + Infinitiv,
nicht die veralteten
Konjunktiv-II-Formen.

Wir **lebten** gern in Italien.
→ Wir **würden** gern in Italien **leben.**

(2) Regelmäßige Verben:
Man kann Indikativ und
Konjunktiv nicht unterscheiden.
Deshalb *würde* + Infinitiv.
(Vergleiche: *Als wir in Italien
lebten, ...*)

Er **wäre** gern im Ausland.
Er **könnte** dort arbeiten.

(3) Hilfsverben und
Modalverben: Keine Um-
schreibung mit *würde*.

Gegenwart und Vergangenheit

Wenn du zu Hause **bleiben würdest,**
  könntest du in Ruhe **lesen.**

= Gegenwart

Wenn du zu Hause **geblieben wärst,**
  wäre der Unfall nicht **passiert.**

= Vergangenheit: *wäre/hätte* +
Partizip II

Wozu braucht man den Konjunktiv II?

Könnten Sie mir helfen?
Hätten Sie Lust spazieren zu gehen?

(1) höfliche Frage

Du solltest mehr schlafen.
An deiner Stelle würde ich mehr sparen.

(2) Vorschlag, Rat

Wenn ich doch / nur / bloß Fremdsprachen könnte!
(= Ich kann keine Fremdsprachen.)

(3) Wunsch mit *doch, nur, bloß*

Wenn ich fliegen könnte, würde ich
   nach Australien fliegen.
(= Ich kann nicht fliegen.)

(4) Ich habe einen irrealen Wunsch.

Du hättest mit deinem Freund
   reden sollen!
Tu nicht so, als ob du nichts wüsstest!
(= Tu nicht so, als wüsstest du nichts!)

(5) Ich mache jemand einen Vorwurf.

   Nebensatz mit *als ob*

Ich hätte nie gedacht, dass er das
   Examen schafft.

(6) Ich bin erstaunt.

Er hat wieder kein Geld, sonst hätte
   er nicht angerufen.
(= Er hat angerufen.)

(7) die Folge = Nebensatz mit *sonst*

Er hätte fast / beinahe den Zug verpasst.
(= Er hat den Zug nicht verpasst.)

(8) Fast wäre etwas passiert.

Die Zahl könnte stimmen.
(= vielleicht)

(9) Ich vermute etwas. → Nr. 179 ff.

13. *Seien Sie doch höflich. Der Konjunktiv II hilft Ihnen.*

   a)   Borg mir mal dein Auto!
   b)   Gib mir ein Stück Kirschkuchen.
   c)   Ich brauche einen Löffel.
   d)   Hier fehlt Salz.
   e)   Sei mal still!
   f)   Bringen Sie mich nach Hause!

   Könntest …
   Ich hätte gern …
   Würdest / Könntest du …

Übungen

14. Sagen Sie Wünsche mit *Wenn ich doch ...! / Wenn doch ...!*

a) Der Urlaub ist noch fern. (schon Urlaub haben)
b) Ich habe keinen Hund. (einen Hund haben)
c) Es kommt kein Bus. (der Bus kommen)
d) Ich muss sparen. (nicht sparen müssen)
e) Irene will schon abfahren. (noch bleiben)
f) Paul ist krank. (bald gesund sein)

15. Wenn das Wörtchen wenn nicht wär'

a) Wenn ich musikalisch _____ (sein), _____ (werden) ich ein Klavier kaufen.
b) Wenn ich malen _____ (können), _____ (werden) ich dir ein Bild schenken.
c) Wenn ich viel Geld _____ (haben), _____ (werden) ich ein Künstlerdorf bauen.
d) Wenn ich das Wetter ändern _____ (können), _____ (werden) ich am Wochenende die Sonne scheinen lassen.
e) Wenn ich du _____ (sein), _____ (werden) ich Thomas heiraten.
f) Wenn ich ein Flugzeug _____ (haben), _____ (werden) ich ans Ende der Welt fliegen.

16. Martina ist unzufrieden ... Ergänzen Sie die Modalverben im Konjunktiv II.

a) Du _____ mir öfters helfen. (können)
b) Du _____ weniger Fleisch essen. (sollen)
c) Christoph _____ mal wieder vorbeikommen. (können)
d) Die Geschäfte _____ länger aufhaben. (müssen)
e) Der Ober _____ höflicher sein. (können)
f) Das Essen _____ schon lange fertig sein. (müssen)

17. Hier ist guter Rat teuer. Evelyn hat Langeweile und sitzt zu Hause rum. Machen Sie ihr Vorschläge!

a) An deiner Stelle ...   an die frische Luft gehen
b) Du (sollen) ...   sich mit Freunden treffen
c) Ich ...   ins Kino gehen

d) Wenn ich du wäre, ...   3 Tage wegfahren
e) Es wäre besser, wenn ...   etwas lesen
f) Du (können) doch ...   eine CD hören

18. Ostern fahren wir weg. Wer hat den besten Vorschlag?

a) Hättet ihr Lust, ... (+ Infinitivsatz)?   auf die Zugspitze fahren
b) Wie wär's mit ...?   eine Radtour
c) Ich schlage vor, dass ...   zur Oma fahren
d) Wir könnten ...   gemütlich zu Hause bleiben
e) Was haltet ihr davon, wenn ...?   eine Wanderung
f) Wer hat etwas dagegen, wenn ...   nach Trier
g) ...
h) ...

19. Ordnen Sie die Konjunktive den Bedeutungen 1–9, Nr. 175 zu.

a) Er gab an, als ob er im Lotto gewonnen hätte.
b) Wenn er doch ein bisschen bescheidener wäre!
c) Wenn ich du wäre, würde ich mit ihm sprechen.
d) Fast hätte ich ihm die Meinung gesagt.
e) Wenn ich in seiner Situation wäre, wäre ich mäuschenstill.
f) Kannst du vielleicht mit ihm reden?

20. Grammatik im Text

a) *Ihr persönliches Horoskop – Der Skorpion*
Jupiter schenkt Ihnen die Chance, einen wunderbaren Urlaub zu erleben. Sie sollten aber sorgfältig planen und nichts dem Zufall überlassen. Machen Sie lieber eine kleinere Reise und keinen großen Abenteuerurlaub. Dabei könnte es nämlich zu bösen Überraschungen kommen. Bleiben Sie im Land und machen Sie ein anstrengendes Sportprogramm. Das dürfte für Sie das Richtige sein. Auch würde es Ihren Nerven gut tun.

b) *Das bringen die Sterne – Der Schütze*
Uranus bringt erfreuliche Überraschungen, aber der negative Jupiter könnte Unfallgefahren bedeuten. Deshalb keine Risiken wie Schitouren, Wildwasserfahrten und Abenteuer-Safaris. Das wäre zwar der ideale

Urlaub für einen Schützen, aber nicht in diesem Jahr. Sonst könnten Sie im Krankenhaus landen.

Vorsichtig sollten Sie das ganze Jahr hindurch sein, denn es droht eine doppelte Gefahr. Erstens: Wenn Sie nicht aufpassen, könnte eine Beziehung kaputt gehen. Zweitens besteht Unfall- und Verletzungsgefahr. Ein persönliches Horoskop könnte Ihnen für das neue Jahr eine große Hilfe sein. Seien Sie diplomatisch und kompromissbereit – auch, wenn es um den Urlaub geht. Dann werden Sie gut durchs Jahr kommen.

Markieren Sie alle Konjunktivformen in a und b. Benennen Sie die Formen, z. B. Konjunktiv II von sollen. Erklären Sie, warum der Konjunktiv gebraucht wird.

Der Konjunktiv I

Die Formen

		Indikativ	Konjunktiv I	Konjunktiv II
sein	er / sie	ist	sei	wäre
	sie	sind	seien	wären
haben	er / sie	hat	habe	hätte
	sie	haben	haben	→ hätten
können	er / sie	kann	könne	könnte
	sie	können	können	→ könnten
geben	er / sie	gibt	gebe	gäbe
	sie	geben	geben	→ gäben

Die 3. Person Singular hat die Endung -e, die leicht zu erkennen ist.
(Endungen im Konjunktiv → Nr. 169)
Wenn die Konjunktivform und die Indikativform formal zusammenfallen, gebraucht man die Konjunktiv-II-Form.
Konjunktiv I und II werden in der Umgangssprache ohne Unterschied gebraucht.

21. *Notieren Sie die Konjunktivformen.*

		Konjunktiv I	Konjunktiv II
a)	ich gebe	_____	_____
b)	sie hat	_____	_____
c)	wir brauchen	_____	_____
d)	sie lesen	_____	_____
e)	ich bin	_____	_____
f)	er kommt	_____	_____

Welche Formen sind mit dem Indikativ identisch?
Schlagen Sie Ersatzformen vor.
Bilden Sie Beispiele.

22. *Ergänzen Sie die Formen im Konjunktiv.*

In der Zeitung steht, dass ...
a) Die Regierung will zurücktreten.
b) Sie hat nicht mehr die Mehrheit.
c) Es wird eine Debatte im Parlament geben.

Die Opposition sagt, dass ...
d) Sie will sofort Reformen.
e) Die Steuern müssen gesenkt werden.
f) Die Bürger können die Preise nicht mehr bezahlen.

Wiederholen Sie die Sätze ohne dass.

Syntax-Baustein 17

Die indirekte Rede

Wir unterscheiden die direkte Rede (= Zitat) und die indirekte Rede.
Die direkte Rede gibt die Aussage einer Person wörtlich wieder.
Bei der indirekten Rede gibt ein Dritter die Aussage wieder.

Martina sagt: „Friseurin ist mein Traumberuf. Ich habe schon eine Lehre angefangen."	(1) Martina erzählt selbst. (= direkte Rede)
Martina sagt, dass Friseurin ihr Traumberuf sei. Sie **habe / hätte** schon eine Lehre angefangen.	(2) Jemand erzählt von Martina. (= indirekte Rede)
Sie **sagt / erzählt / berichtet**, dass ...	(3) *dass* ... steht am Anfang der indirekten Rede.
Sie sagt: „**Ich** möchte Friseurin werden." → Sie sagt, dass **sie** Friseurin werden möchte.	(4) Die Pronomen ändern sich sinngemäß: ich → er / sie
„**Mein** Traumberuf ..." → ... **ihr** Traumberuf	mein → ihr / sein
Der Meister fragt: „**Wann** wollen Sie anfangen?" → Er fragt, **wann** sie anfangen wolle.	(5) Die indirekte Frage
Der Meister fragt: „**Wollen** Sie bei mir anfangen?" → Er fragt, **ob** sie bei ihm anfangen wolle.	

Tipps & Tricks

Wenn Sie etwas mündlich erzählen, können Sie in der indirekten Rede immer den Indikativ benutzen. In der Umgangssprache sagt man:
Mirko hat erzählt, dass Anna Fotomodell werden will und schon einen Vertrag hat. (Nicht: *... werden wolle, ... habe.*)

Übungen

23. *Grammatik im Text – Jugendliche suchen eine Lehrstelle.*

a) *Beate Kummer sagt:*

„Ich will Werkzeugmacherin werden und in keinem Mädchenberuf arbeiten. Ich kann das bestimmt und werde sicher noch etwas finden. Langsam weiß ich, was mir Spaß macht."

Ihre Freundin sagt, dass Beate Werkzeugmacherin werden will. Sie will in keinem Mädchenberuf arbeiten. Sie kann das bestimmt und wird sicher etwas finden. Langsam weiß sie, was ihr Spaß macht.

In der Jugendzeitschrift steht:

Mädchen ergreifen immer öfter einen Jungenberuf. Zum Beispiel Beate Kummer. Sie will Werkzeugmacherin werden. Sie sagt, dass sie das könne und sicher auch etwas finden werde. Langsam wisse sie, was ihr Spaß macht.

Markieren Sie die Verben in der indirekten Rede.

b) *Claudia erzählt:*

„Früher wollte ich Tischlerin werden. Aber meine Mutter war dagegen, weil es zu gefährlich ist. Jetzt such' ich was als Verkäuferin. Da gibt es aber viele Bewerbungen."

Fangen Sie so an:
Claudia hat erzählt, dass … (+ Indikativ)

Was steht in der Jugendzeitschrift? Fangen Sie so an:
Alle in der Klasse wissen, dass Claudia Tischlerin werden will. Sie sagt, dass … (+ Konjunktiv)

24. *Aus der Zeitung*

Der Alligator-Dompteur Kenny Press ist mit Bissen an beiden Seiten des Kopfes ins Krankenhaus gebracht worden, nachdem ein Trick in seiner Alligator-Schau misslungen war.

Press sagte, er habe das Programm erst vor kurzem erweitert. Bei dieser Nummer lege er seinen Kopf in das Maul des hundert Kilogramm schweren Alligators. Diesmal habe das Tier ihn aber gerochen, Hunger bekommen und begonnen, die Zähne zu bewegen.

Markieren Sie die Konjunktivformen.
Beginnen Sie den zweiten Abschnitt so:
Press sagte, dass … (+ Indikativ)

25. Aus der Zeitung

Europameister im Brotverbrauch
Europaweit lagen die Deutschen beim Brotverbrauch mit 84 Kilogramm pro Kopf an der Spitze. Das teilte die Vereinigung Getreide-, Markt- und Ernährungsforschung am Freitag in Bonn mit. Belegte Brote und Semmeln seien die Hauptgewinner beim Essen außer Haus gewesen. Mehr als ein Drittel aller Brote und Semmeln hätten die Bundesbürger unterwegs gegessen. Der Brotverbrauch zu Hause sei dagegen gleich geblieben.

(nach tz vom 2. 1. 98)

Markieren Sie die Sätze mit indirekter Rede.

Die Konjunktion dass *wurde hier weggelassen. Ergänzen Sie* dass *und beginnen Sie mit:*
Die Vereinigung … teilte am Freitag in Bonn mit, dass belegte Brote und …

26. Aus der Zeitung

Zum Rücktritt aufgefordert
Unionsabgeordnete haben den BDI-Chef zum Rücktritt aufgefordert. Der Bundesverband der Industrie müsse schnell seinen Präsidenten nach Hause schicken, sagte Vogt der Neuen Zeitung. Henkel verletze die Tarifverträge. Das „ist nicht mehr tragbar. Er müsste den Hut nehmen." Henkel hatte in einem Interview gesagt, dass er es für richtig halte, dass sich Ostdeutschland nicht an die Verträge halte und gegen sie verstoßen werde. Vogt sagte, die Aussagen des BDI-Chefs seien „nicht zu akzeptieren".

(nach SZ vom 31. 12. 97 / 1. 1. 98)

BDI = Bundesverband der Deutschen Industrie

Markieren Sie die Sätze mit indirekter Rede.

27. Ergänzen Sie die Formen im Indikativ.

„Ich möchte Spanisch lernen."   Michaela hat erzählt, dass …
„Ich habe schon einen Kurs
   gemacht."

„Ich bin aber nicht weit gekommen." _____

„Ich lerne jetzt zu Hause."

_____

„Im Sommer will ich nach
    Spanien fahren."

_____

Sie können *dass* auch weglassen. Beginnen Sie so: *Michaela hat erzählt, sie
möchte* ...

179 Vermutung und Absicht

Formen des Futurs und des Konjunktivs können eine subjektive Bedeutung
haben (= *Ich vermute/glaube/beabsichtige* ...).

180 Konjunktiv II

Mit dem Konjunktiv II der Modalverben können Sie eine Vermutung ausdrücken:

Fritz **könnte Recht haben**. *können*
    (= Ich glaube, dass Fritz Recht hat.)
Du willst mit dem 6-Uhr-Zug fahren? *dürfen*
Das **dürfte** jetzt **zu spät sein**.
    (= Ich glaube, dass es zu spät ist.)
Onkel Ernst **müsste** eigentlich *müssen*
    reich sein. Er ist so sparsam.
    (= Ich vermute, dass Onkel Ernst
    reich ist.)

Das Futur I

werden + Infinitiv drückt eine Handlung in der Zukunft aus. (→ Futur I, Nr. 25).

Ich **werde** dich **abholen**.
Ich **werde** dich **bestimmt** abholen.
  (= Ich habe die feste Absicht,
  dich abzuholen.)

Das ist ein Geschehen in der Zukunft.
Das Modaladverb sagt es genauer.

werden + Infinitiv drückt auch eine Vermutung aus. Diese Verwendung hat nichts mit der Zukunft zu tun.

Wo ist denn Manfred? –
Er **wird** im Büro **sein**.
  (= Ich vermute, dass er im Büro ist.)
Du **wirst wohl** keine Zeit **haben**.
  (= Ich nehme an, dass ...)

wohl, vielleicht, wahrscheinlich
verstärken die Vermutung.

Futur II

Christel **wird** inzwischen nach Köln **gezogen sein**.
  (= Ich vermute, dass sie inzwischen nach Köln gezogen ist.)
Sie **wird** ihren Jens **geheiratet haben**.
  (= Ich vermute, dass sie ihren Jens geheiratet hat.)

28. Verwenden Sie den Konjunktiv II.

  a)   Das kann stimmen.
  b)   Sie können Recht haben.
  c)   Das musst du wissen.

  d)   Das lässt sich machen.
  e)   Das darf er nicht tun.
  f)   Das kann man riskieren.

29. Ergänzen Sie bestimmt, eigentlich oder vielleicht in Übung 28.

30. Beginnen Sie die Sätze in Übung 28 mit: Ich glaube, dass ... Sie können die Modalverben manchmal weglassen.

Übungen

Vermutung und Absicht   XII. Das Verb (2)   237

31. Verwenden Sie das Futur I.

Es ist Silvester. Elisabeth hat viele gute Vorsätze für das neue Jahr.
Ich ...

a) mehr sparen
b) früher ins Bett gehen
c) gesünder essen
d) mehr Sport treiben
e) den Freunden helfen
f) die Eltern oft besuchen

Elisabeth hat also die Absicht, mehr zu sparen, früher ins Bett zu gehen ...

32. Felix ist ein Vorbild. Drücken Sie eine Vermutung mit dem Futur I oder Futur II aus.

a) Felix macht eine große Reise. (Er hat gespart.)
b) Er ist nie müde. (Er geht früh ins Bett.)
c) Er ist fit. (Er treibt viel Sport.)
d) Er macht die Prüfung mit Eins. (Er hat viel gearbeitet.)
e) Er hat nie schlechte Laune. (Er hat keinen Ärger zu Hause.)
f) Er verträgt sich mit seinen Geschwistern. (Er ist freundlich und hilfsbereit.)

Verben mit Präpositionalergänzung

Verb + Präposition (+ Akk. / Dat.)

183

Es gibt viele Verben mit einer festen Präposition. Diese Präposition steht mit dem Akkusativ oder dem Dativ. Die Zahl der Präpositionen ist begrenzt.

an + Dativ	jmdn. erkennen	an der Nase
	leiden	am Heimweh
	sterben	an der Krankheit
	teilnehmen	an der Versammlung
	zweifeln	an der Aussage

an + Akkusativ	denken	an die Ferien, an den Winter
	sich / jmdn. erinnern	an den Urlaub
	sich gewöhnen	an den Lärm
	glauben	an die Gerechtigkeit, an Gott
	schreiben	an den Freund
	sich wenden	an den Schaffner
auf + Akkusativ	achten	auf den Verkehr
	aufpassen	auf die Kinder
	sich beziehen	auf das Fax
	sich freuen	auf das Wochenende
	hoffen	auf ein gutes Ende
	sich konzentrieren	auf die Arbeit
	sich verlassen	auf die Freunde
	vertrauen	auf das Glück
	verzichten	auf das Geld
	sich vorbereiten	auf die Prüfung
	warten	auf das Ergebnis
bei + Dativ	sich bedanken	bei den Eltern
	sich beschweren	bei dem Verkäufer (über den Preis)
	sich entschuldigen	bei dem Herrn
	sich erkundigen	bei der Bahn (nach dem Preis)
für + Akkusativ	jmdm. danken	für die Einladung
	sich eignen	für den Job
	sich entscheiden	für das Studium
	sich entschuldigen	für den Irrtum (bei dem Kollegen)
	jmdn. halten	für einen Dieb
	sich interessieren	für den Job
	sorgen	für die Eltern
gegen + Akkusativ	kämpfen	gegen den Wind
	protestieren	gegen die Entscheidung
in + Akkusativ	geraten	in eine Situation
	sich verlieben	in die Frau, in den Mann

mit + Dativ	aufhören	mit dem Streit
	beginnen	mit der Diskussion
	sich beschäftigen	mit dem Thema
	diskutieren	mit den Kollegen (über Politik)
	sprechen	mit den Eltern (über die Schule)
	streiten	mit den Nachbarn
	sich unterhalten	mit Freunden (über die Sendung)
nach + Dativ	sich erkundigen	(bei dem Wanderer) nach dem Weg
	jmdn. fragen	nach der Straße
	riechen	nach Parfüm
	schmecken	nach Knoblauch
über + Akkusativ	sich ärgern	über den Verlust
	sich aufregen	über die Preise
	berichten	über die Reise
	sich beschweren	über den Chef
	denken	über die politische Lage
	diskutieren	(mit dir) über das Problem
	sich freuen	über das Geschenk
	sich informieren	über die Verhältnisse
	klagen	über die Steuern
	lachen	über den Witz
	nachdenken	über das Problem
	schreiben	über das Ereignis
	sprechen	über die Situation
	sich streiten	über die Kosten
	sich unterhalten	(mit euch) über das Wetter
	sich wundern	über das Ergebnis
um + Akkusativ	sich bemühen	um die Familie
	sich bewerben	um die Stelle
	jmdn. bitten	um Feuer, um einen Gefallen
	es handelt sich	um dich
	sich kümmern	um die Eltern
	sich streiten	ums Geld

unter + Dativ	leiden	unter Stress, unter dem Wetter
von + Dativ	abhängen	von den Umständen
	abhängig sein	vom Vater
	sich erholen	von der Arbeit
	erzählen	von dem Erlebnis
	etwas/nichts halten	von dem Projekt
	sprechen	von ihm/ihr
	träumen	von ihm/ihr
	sich verabschieden	von dir
	etwas verstehen	von Psychologie, von der Sache
vor + Dativ	sich fürchten	vor Räubern
	sich schützen	vor Regen, vor Angriffen
	sterben	vor Angst
	warnen	vor Dieben
zu + Dativ	jmdn. einladen	zur Hochzeit
	gehören	zur Familie
	gratulieren	zum Geburtstag
	jmdn. raten	zum Studium

Gebrauch ohne Präposition   184

Die meisten Verben der Liste oben kann man auch ohne Präposition
gebrauchen:

	ohne Präposition	mit Präposition
denken	Denk nicht so viel!	Denk an mich!
teilnehmen	Nimm doch teil!	Nimm an dem Seminar teil!
sich erinnern	Erinnere dich!	Erinnerst du dich an Stefan?
sich beschäftigen	Beschäftige dich doch!	Beschäftige dich mit etwas!

Gebrauch immer mit Präposition

Die folgenden Verben werden immer mit Präposition gebraucht.
Ohne Präposition haben sie eine andere Bedeutung oder sie haben keinen
Sinn:

sich wenden an	sich an den Lehrer wenden	Wende dich an ihn!
sich gewöhnen an	sich an den Lärm gewöhnen	Gewöhne dich daran!
achten auf	auf den Verkehr achten	Achte darauf!
sich beziehen auf	sich auf das Fax beziehen	Beziehen Sie sich darauf!
sich verlassen auf	sich auf die Freunde verlassen	Verlass dich auf sie!
jmdn. halten für	jmdn. für einen Dieb halten	Wir halten ihn dafür.
abhängen von	von den Umständen abhängen	Davon hängt alles ab.
etw. halten von	nichts von dem Projekt halten	Wir halten nichts davon.
verstehen von	etwas von Psychologie verstehen	Ich verstehe viel davon.
gehören zu	zur Familie gehören	Wir gehören nicht dazu.
jmdm. raten	jmdm. zum Studium raten	Wir raten dir dazu.

33. *Ein Charakter. – Ergänzen Sie die Präposition.*

a) Er vertraut _____ sein Glück.
b) Er spricht wenig _____ sich selbst.
c) Er glaubt _____ Freundschaft.
d) Er hält sich nicht _____ den Größten.
e) Er verzichtet _____ Dinge, die er nicht braucht.
f) Er kümmert sich _____ seine Mitmenschen.

34. *Ergänzen Sie die richtige Präposition.*

a) Glauben Sie _____ die Vernunft?
b) Warten Sie _____ ein Wunder?
c) Verstehen Sie etwas _____ Pädagogik?
d) Ärgern Sie sich _____ die Politik?
e) Fürchten Sie sich _____ den Folgen?
f) Nehmen Sie _____ dem Seminar teil?

Übungen

Syntax-Baustein 18

denken an + Akkusativ

Ich denke an dich.

(1) Subjekt + Verb + Präpositionalergänzung
denken an + Akk.
(siehe Liste der Verben, Nr. 183)

Denk **an mich!**
An wen denkt er?
Er denkt **an sie.**

(2) (→ Fragepronomen, Nr. 117–119)
Personen: *an* + Pronomen

Denk **an die Reise!**
Woran denkt er?
Er denkt **daran.**

Sachen: *wo(r)-* / *da(r)* + Präposition

Es ist Enrico, **an den** sie denkt.

(3) Relativsatz

Er hat versprochen, **an sie** zu denken.
Er hat versprochen, **daran**
    (= an die Reise) zu denken.

(4) Infinitivkonstruktion

Bitte denk **daran,** morgen anzurufen.
Bitte denk **daran,** dass du morgen
    anrufst.

(5) Hinweis auf den Nebensatz

---

35. Antworten Sie.

a) Wofür hältst du den Mann? – Ich halte ihn _____
    (ein Betrüger).
b) An wen erinnert dich die Frau? – Sie erinnert mich
    _____ (eine Schauspielerin).
c) Über wen habt ihr gesprochen? – _____
    (du natürlich).
d) Wonach riecht es hier? – Es riecht _____
    (Benzin).

e) Wovon träumst du? – _____ (die große Liebe).

f) Worüber freut sich Andreas? – _____
(sein neues Fahrrad).

36. *Fragen und Antworten. – Ergänzen Sie das Fragepronomen und suchen Sie die passende Antwort.*

Wofür Welche Worüber Was Zu welchem für welchen

a) _____ Hobbys
haben Sie?

b) _____ interessiert
Sie besonders?

c) Wenn Sie noch einmal wählen
könnten, _____
Beruf würden Sie sich entscheiden?

d) _____ Beruf würden
Sie raten?

e) _____ würden Sie
kämpfen?

f) _____ unterhalten
Sie sich am liebsten?

☐ Schwimmen und Surfen.
☐ Im Internet surfen.
☐ Für den Naturschutz.
☐ Für denselben.
☐ Auf keinen Fall über das Wetter.
☐ Zu einem Dienstleistungsberuf.

37. *Ergänzen Sie.*

a) Madeleine interessiert sich _____ das Angebot. – Sie interessiert
sich _____.

b) Boris entschuldigt sich _____ den Fauxpas. – Er entschuldigt sich
_____.

c) Katinka bedankt sich _____ die Glückwünsche. – Sie bedankt
sich _____.

d) Pavel lacht _____ den Witz. – Er lacht _____.

e) Guy verlässt sich _____ sein Glück. – Er verlässt sich _____.

f) Olga hält nicht viel _____ der Schule. – Sie hält nicht viel _____.

g) Sophia beschäftigt sich _____ Sternkunde. – Sie beschäftigt sich
_____.

38. Ergänzen Sie die Präposition und das Pronomen.

a) Brigitte verlässt sich auf ihren Mann. – Sie verlässt sich total _____.

b) Streite nicht mit den Leuten! – Ich streite doch nicht _____.

c) Warum bedankst du dich nicht bei den Kollegen? – Ich habe mich doch schon _____ bedankt.

d) Pass auf die Kinder auf! – Ich passe schon seit Stunden _____ auf.

e) Sprich mit Karla! – Sprich du _____!

f) Erinnerst du dich an den dicken Kellner? – Ich erinnere mich genau _____. Warum fragst du?

39. Raten Sie mit! Ergänzen Sie und suchen Sie die passende Antwort.

wofür	woran	was	wofür	woher	woran
worum	was	um	was	woraus	wo

a) _____ ist Bayern bekannt?

b) _____ erkennen Sie eine Burg?

c) Er ist 1759 in Marbach geboren und 1805 in Weimar gestorben. Er lernte Arzt und wurde Historiker. Als _____ ist er berühmt?

d) Wer wagt, gewinnt. _____ geht es hier?

e) Die Stichwörter lauten: Vater, Sohn, Apfel, Schweiz. _____ welches Stück handelt es sich?

f) _____ sind Kurt Weill und Hanns Eisler berühmt?

g) „Sie sind ein Herz und eine Seele." _____ bedeutet das und _____ stammt der Spruch?

h) _____ kommen die grammatischen Bezeichnungen?

i) Das Stichwort lautet: „Schöne, blaue Donau." _____ denken Sie?

j) _____ ist ein Heurigenlokal und _____ gibt es das?

– An dem Burgturm.

– Nicht nur fürs Bier, auch für Schlösser, Landschaften und seine Industrie.

– Als Dichter.

– Das ist ein Spruch. Er bedeutet, dass man etwas wagen muss, um zu gewinnen. Wer nichts tut, kann auch nichts erreichen.

– Das ist ein Weinlokal in Österreich.

– Um den „Wilhelm Tell" von Friedrich Schiller.

– An die Operette des österreichischen Komponisten Johann Strauß.

– Für die Musik zu Stücken von Bertolt Brecht.

– Er bedeutet: Sie verstehen sich sehr gut. Er stammt aus der Bibel.

– Aus der lateinischen Grammatik.

Anhang

Die unregelmäßigen Verben

Infinitiv	Präsens 3. P. Sg.	Präteritum 3. P. Sg.	Perfekt 3. P. Sg.	Trennbare Verben Reflexive Verben 1. P. Sg.
b				
befehlen	befiehlt	befahl	hat befohlen	
beginnen		begann	hat begonnen	
behalten	behält	behielt	hat behalten	
bekommen		bekam	hat bekommen	
beraten	berät	beriet	hat beraten	
beschließen		beschloss	hat beschlossen	
beschreiben		beschrieb	hat beschrieben	
besitzen		besaß	hat besessen	
bestehen		bestand	hat bestanden	
betragen	beträgt	betrug	hat betragen	
betrügen		betrog	hat betrogen	
beweisen		bewies	hat bewiesen	
sich bewerben	bewirbt	bewarb	hat beworben	ich bewerbe mich
sich beziehen		bezog	hat bezogen	ich beziehe mich
bieten		bot	hat geboten	an-
binden		band	hat gebunden	
bitten		bat	hat gebeten	
bleiben		blieb	ist geblieben	
braten	brät	briet	hat gebraten	
(sich) brechen	bricht	brach	hat gebrochen	ich breche mir

Infinitiv	Präsens	Präteritum	Perfekt	Vorsilben
brennen		brannte	hat gebrannt	weg-, zurück-
bringen		brachte	hat gebracht	
d				
denken		dachte	hat gedacht	nach-
dürfen	darf	durfte	hat gedurft / dürfen	
e				
empfehlen	empfiehlt	empfahl	hat empfohlen	
enthalten	enthält	enthielt	hat enthalten	
entlassen	entlässt	entließ	hat entlassen	
(sich) entscheiden		entschied	hat entschieden	ich entscheide mich
sich entschließen		entschloss	hat entschlossen	ich entschließe mich
entsprechen	entspricht	entsprach	hat entsprochen	
entstehen		entstand	ist entstanden	
erfahren	erfährt	erfuhr	hat erfahren	
erfinden		erfand	hat erfunden	
erhalten	erhält	erhielt	hat erhalten	
erkennen		erkannte	hat erkannt	
erscheinen		erschien	ist erschienen	an-
erschrecken*	erschrickt	erschrak	ist erschrocken	
essen	isst	aß	hat gegessen	
f				
fahren	fährt	fuhr	ist gefahren	ab-, los-
fallen	fällt	fiel	ist gefallen	ein-
fangen	fängt	fing	hat gefangen	an-
finden		fand	hat gefunden	statt-
fliegen		flog	ist geflogen	ab-

fließen		floss	ist geflossen	
fressen	frisst	fraß	hat gefressen	
frieren		fror	hat gefroren	ab-, auf-, aus-, zurück-
g				
geben	gibt	gab	hat gegeben	
geboren werden	wird geboren	wurde geboren	ist geboren worden	
gefallen	gefällt	gefiel	hat gefallen	
gehen		ging	ist gegangen	an-, aus-, los-, vor-, weg-
gelingen		gelang	ist gelungen	
gelten	gilt	galt	hat gegolten	
geraten	gerät	geriet	ist geraten	
geschehen	geschieht	geschah	ist geschehen	
gewinnen		gewann	hat gewonnen	
gießen		goss	hat gegossen	
greifen		griff	hat gegriffen	
h				
haben	hat	hatte	hat gehabt	
halten	hält	hielt	hat gehalten	an-, fest-
hängen*		hing	hat gehangen	ab-
heben		hob	hat gehoben	ab-, auf-
heißen		hieß	hat geheißen	
helfen	hilft	half	hat geholfen	
k				
kennen		kannte	hat gekannt	
kommen		kam	ist gekommen	an-, vor-, mit-
können	kann	konnte	hat gekonnt/können	

l				
laden	lädt	lud	hat geladen	ein-
lassen	lässt	ließ	hat gelassen / lassen	
laufen	läuft	lief	ist gelaufen	
leiden		litt	hat gelitten	
leihen		lieh	hat geliehen	
lesen	liest	las	hat gelesen	vor-
liegen		lag	hat gelegen	
lügen		log	hat gelogen	
m				
messen	misst	maß	hat gemessen	
mögen	mag	mochte	hat gemocht / mögen	
müssen	muss	musste	hat gemusst / müssen	
n				
nehmen	nimmt	nahm	hat genommen	ab-, an- teil-, zu-
nennen		nannte	hat genannt	
p				
pfeifen		pfiff	hat gepfiffen	
r				
raten	rät	riet	hat geraten	auf-, ab-
reißen		riss	hat gerissen	
reiten		ritt	ist geritten	
rennen		rannte	ist gerannt	
riechen		roch	hat gerochen	
rufen		rief	hat gerufen	an-

Infinitiv	Präsens	Präteritum	Perfekt	
schaffen*		schuf	hat geschaffen	
scheinen		schien	hat geschienen	
schieben		schob	hat geschoben	ein-
schießen		schoss	hat geschossen	auf-, nach-, vor-
schlafen	schläft	schlief	hat geschlafen	
schlagen	schlägt	schlug	hat geschlagen	ab-, aus-
schließen		schloss	hat geschlossen	
schmeißen		schmiss	hat geschmissen	
schneiden		schnitt	hat geschnitten	auf-
schreiben		schrieb	hat geschrieben	
schreien		schrie	hat geschrien	
schweigen		schwieg	hat geschwiegen	
schwimmen		schwamm	ist geschwommen	an-, aus-, fern-, nach-, sich um-
sehen	sieht	sah	hat gesehen	
sein*	ist	war	ist gewesen	
senden*		sandte	hat gesandt	
singen		sang	hat gesungen	
sinken		sank	ist gesunken	
sitzen		saß	hat gesessen	
sprechen	spricht	sprach	hat gesprochen	aus-, nach-
springen		sprang	ist gesprungen	auf-, fest-
stehen		stand	hat gestanden	
stehlen	stiehlt	stahl	hat gestohlen	aus-, ein-
steigen		stieg	ist gestiegen	
sterben	stirbt	starb	ist gestorben	
stoßen	stößt	stieß	hat gestoßen	
(sich) streiten		stritt	hat gestritten	ich streite mich

t

tragen	trägt	trug	hat getragen	
treffen	trifft	traf	hat getroffen	
treiben		trieb	hat getrieben	bei-
treten	tritt	trat	hat getreten	ein-, bei-
trinken		trank	hat getrunken	
tun		tat	hat getan	

ü

überfahren	überfährt	überfuhr	hat überfahren	
übernehmen	übernimmt	übernahm	hat übernommen	
überweisen		überwies	hat überwiesen	
sich unterhalten	unterhält	unterhielt sich	hat sich unterhalten	ich unterhalte mich
unterscheiden		unterschied	hat unterschieden	
unterschreiben		unterschrieb	hat unterschrieben	

v

verbieten		verbot	hat verboten	
verbinden		verband	hat verbunden	
verbringen		verbrachte	hat verbracht	
vergessen	vergisst	vergaß	hat vergessen	
vergleichen		verglich	hat verglichen	
sich verhalten	verhält	verhielt sich	hat sich verhalten	ich verhalte mich
(sich) verlassen	verlässt	verließ	hat verlassen	ich verlasse mich
verlieren		verlor	hat verloren	
verschreiben		verschrieb	hat verschrieben	
verschwinden		verschwand	ist verschwunden	
versprechen	verspricht	versprach	hat versprochen	
(sich) verstehen		verstand	hat verstanden	miss-; ich ~e mich

vertreten	vertritt	vertrat	hat vertreten	
verzeihen		verzieh	hat verziehen	
w				
wachsen	wächst	wuchs	ist gewachsen	
(sich) waschen	wäscht	wusch	hat gewaschen	ich wasche mich
(sich) wenden		wandte	hat gewandt	an-, ich wende mich
werden	wird	wurde	ist geworden	
werfen	wirft	warf	hat geworfen	weg-
(sich) widersprechen	widerspricht	widersprach	hat widersprochen	ich widerspreche mir
wiegen		wog	hat gewogen	
wissen	weiß	wusste	hat gewusst	
z				
zerreißen		zerriss	hat zerrissen	
ziehen		zog	hat gezogen	(sich) an-, aus-, um-,
zwingen		zwang	hat gezwungen	ein-, vor-; ich ~e mich

* **erschrecken** (unregelmäßig): Sie erschrickt leicht.
jemanden erschrecken (regelmäßig), erschreckte, hat erschreckt: Sie erschreckt ihn.
hängen (regelmäßig → Nr. 143)
schaffen (unregelmäßig): Der Künstler schuf das Werk in einem Monat.
schaffen (regelmäßig), schaffte, hat geschafft: Wir schaffen die Arbeit nicht.
senden (unregelmäßig): Wir senden ein Fax.
senden (regelmäßig), sendete, hat gesendet: Nachrichten werden stündlich gesendet.

Register

Die Ziffern beziehen sich auf die Nummerierung am Buchrand.

sich informieren + *über* 183
sich interessieren 48; + *für* 183
sich konzentrieren + *auf* 183
sich kümmern + *um* 183
sich schützen + *vor* 183
sich streiten + *über* 183; + *um* 183
sich unterhalten + *mit* 183; + *über* 183
sich verabschieden + *von* 183
sich verlassen + *auf* 183
sich verlieben + *in* 183
sich vorbereiten + *auf* 183
sich wenden + *an* 183
sich wundern + *über* 183
sich wünschen 48
sicher 148
Sie 85
sie 85
Sie-Form Imperativ 53
Singular Deklination Genitiv 71;
    Personalpronomen 85; Possessivartikel
    89; Substantiv 59, 66; Substantiv ohne -
    68; Substantiv, Deklination 70; Verb 1
sitzen 6; 143
so 148
so ..., dass 158
so dass 158
sobald 158
soeben 147
sofort 147
sogar 148
sollen Bedeutung 37; Konjunktiv II 37;
    Perfekt 33; Präsens 26; Präteritum 32
sondern 157
sonst 150
sorgen + *für* 183
spannend 116
spät 101; 147
später 147
spitz 101
Spitze 154
sprechen 8; + *mit* 183; + *über* 183;
    + *von* 183
Sprichwörter ohne Artikel 82
springen 16
drittens 112
ss oder *ß*? 31
Städte ohne Artikel 82
Stamm Verb 1
starke Verben *würde*-Konjunktiv 173

statt 139; 158
-ste Ordinalzahl 110
stehen 143
stehlen 8
Steigerungsstufe 99
stellen 143
Stellung Relativsatz 127
sterben 8; + *an* 183; + *vor* 183
Stoffnamen ohne Artikel 82;
    ohne Plural 67
stolz 101
streiten + *mit* 183
-stück 68
Subjekt Passiv 165
Subjunktion 156; 158
Substantiv 59; auf *-a*, Pluralform 66;
    auf *-ant*, *-ent*, *-ist*, *-at*, *-oge*, *-graf*,
    n-Deklination 74; auf *-er*, *-en*, *-chen/*
    -lein, *-nis*, *-um*, Pluralform 66; Deklina-
    tion 69–74; einsilbiges, Pluralform 66;
    Endung *-(m)ent*, *-um*, Genus neutral 64;
    Endung *-e*, Genus meist feminin 63;
    Endung *-ei*, *-heit*, *-keit*, *-schaft*, *-ung*,
    -enz, *-ie*, *-ik*, *-ion*, *-tät*, *-ur*, Genus feminin
    63; Endung *-en*, Genus maskulin 62;
    Endung *-s/-es*, Genitiv 72; Endung *-t*,
    von Verben stammend, Genus meist
    feminin 63; maskulin mit Endung *-e*,
    Deklination 74; + *n* + Substantiv, Kompo-
    situm 76; nach Präposition, ohne Artikel
    82; ohne Endung, vom Verb stammend,
    Genus maskulin 62; ohne Plural 67; ohne
    Singular 68; Plural 66; Plural, Deklina-
    tion 71; + *s/es* + Substantiv, Kompositum
    76; Singular 66; Singular, Deklination 70;
    + Substantiv, Kompositum 76; + Suffix
    97; vom Adjektiv 94; vom Partizip 94;
    vom Verb, Adjektiv und Partizip 65; von
    einem Grundwort abgeleitet 65; Vorsilbe
    65; zusammengesetztes 65
Substantivierung des Infinitivs, ohne
    Plural 67; von Adjektiven, Genus neutral
    64; von Infinitiven, Genus neutral 64
Suffix + Substantiv 97; + Verb 98
super 93; 154
Superlativ 99; best. o. unbest. Art.? 81;
    bestimmter Artikel 101; eingeschränkt
    101; mit Zeit- und Ortsangabe 101